SUSAN HOPPER

Anne Plichota et Cendrine Wolf

Susan Hopper

Le Parfum perdu

Tome 1

JEUNESSE

ISBN : 978-2-84563-560-9

À tous ceux qui ont fait de nos vies ce qu'elles sont.

PROLOGUE

Écosse. Une nuit d'hiver

Les flammes léchaient les murs avec délectation. Elles flottaient et gonflaient comme des drapeaux agités par le vent, s'étiraient jusqu'au plafond, s'étalaient sur le papier peint. Assise dans son lit, la petite fille regardait le feu engloutir peu à peu l'obscurité de sa chambre. Le bruit du verre qui explose lui parvint, bientôt suivi d'une forte odeur de parfums mélangés.

La petite fille respira à fond. Ça sentait bon.

Susan. Susan…

Quelqu'un l'appelait, loin, très loin au-delà du mur enflammé. Elle ne reconnaissait pas la voix, à mi-chemin entre le gémissement et le sanglot. Elle serra son doudou – une longue étoffe bleue – contre son nez et continua d'admirer les ombres et les lumières qui dansaient autour d'elle en crépitant. C'était si joli.

Les éclats bleutés des gyrophares des camions de pompiers, dont les sirènes hurlaient dehors, s'ajoutèrent aux flammes. Susan les voyait jaillir à travers la fenêtre embrasée, semblables à des éclairs de glace au milieu du feu ardent.

Soudain, la porte de sa chambre s'ouvrit et une immense fournaise apparut. Deux silhouettes s'en dégagèrent. Deux êtres de feu gesticulant vers le petit lit aux draps fleuris qui trônait, intact dans la pièce, miracle au milieu du chaos. Susan s'agenouilla, les poings enfoncés dans la couette. Elle était terriblement tentée d'enlever le cache qui protégeait l'un de ses yeux pour pouvoir mieux profiter du spectacle. Mais elle avait promis au docteur et à sa maman de ne pas le retirer. Alors, la petite fille pirate écarquilla son œil valide dans lequel se reflétaient les deux êtres aux membres tordus.

Puis une poutre s'abattit sur eux et les disloqua, tout en entraînant une partie du toit. Susan pouvait maintenant voir le ciel aspirer la fumée et les flammes. Et entendre, derrière les craquements et les sifflements du brasier, les cris des hommes à l'extérieur.

— C'est trop tard ! résonna une voix. La maison va s'écrouler !

— J'essaie quand même par le toit ! fit quelqu'un d'autre.

— Non ! C'est trop dangereux, tu vois bien qu'on ne peut plus rien faire pour ces pauvres gens ! répliqua la voix. Ils sont morts…

C'est ainsi, alors qu'elle essayait d'apercevoir les flocons de neige par le trou béant du plafond, que la petite fille vit apparaître un homme au casque rutilant. Perché sur son échelle, il la regardait comme si elle était une apparition.

— Il y a quelqu'un ici ! hurla-t-il en direction de ses compagnons.

— Quoi ? C'est impossible, voyons ! Reviens !

Mais ces paroles ne pouvaient retenir l'homme, totalement hypnotisé par la vision irréelle de cette petite fille en pyjama sur son lit fleuri.

Un ange au milieu de l'enfer.

Il descendit de l'échelle, posa les pieds sur le toit et s'avança vers le trou incandescent formé par la chute de la poutre.

La petite fille sursauta un peu quand un mugissement ébranla la maison. De la cave au grenier, du sol au plafond, il parcourut toutes les pièces, hurlant sa victoire. Avec une fascination horrifiée, le pompier se laissa happer par le tourbillon de feu et s'effondra près du petit lit immaculé en faisant voltiger un million d'étincelles.

Son unique œil grand ouvert, la petite fille se redressa.

Elle regarda autour d'elle.

Lentement.

Elle joignit les deux mains.

Un sourire se dessina sur son visage menu.

Puis elle applaudit.

* * *

Quand Susan entra, tous les regards se tournèrent vers elle. L'église était froide et sombre, mais la main de la grosse dame marchant à ses côtés dégageait une douce tiédeur. Alors, la petite fille la serra encore plus fort pour se réchauffer. Et aussi pour se rassurer, car les gens figurant sur les tableaux aux murs avaient l'air de souffrir terriblement, ils l'impressionnaient un peu.

La grosse dame s'avança dans l'allée en l'entraînant avec elle.

— Pauvre enfant... murmura un homme. La seule survivante... Elle n'a que trois ans et la voilà orpheline.

— Les pompiers ont dit que l'incendie avait ravagé la maison tout entière, fit une dame en pleurs. Seul le lit de la petite a été épargné par les flammes, c'est incompréhensible...

— Quelle tragédie ! soupira sa voisine en se tamponnant les yeux avec un mouchoir.

Tragédie ? « Voilà un drôle de mot », se dit la petite fille alors que la grosse dame l'emmenait devant, sur le premier banc.

Un homme vêtu d'une longue robe vint les saluer :

— Bonjour, Susan, bienvenue dans la maison de Dieu.

Il posa la main sur sa tête et elle recula. La grosse dame avait réussi à lui faire deux mignonnes tresses ce matin, pas question que cet homme bizarrement habillé la décoiffe !

Susan tourna la tête à droite, à gauche, et son petit visage parut soudain inquiet.

— Elle est où, ma maman ?

14

— Ta maman est au ciel, auprès de celle qui veille sur nous tous, notre bien-aimée mère, répondit l'homme.

Il lui tendit une image. Susan la prit et la regarda un instant. On aurait dit que la dame qui y figurait lui souriait, elle était bien belle avec son voile bleu et toute cette lumière autour d'elle. Mais elle ne l'était quand même pas autant que sa maman.

Perché sur son estrade, l'homme à la longue robe parla longtemps, Susan crut qu'il n'allait jamais s'arrêter. Parfois, il montrait les deux grandes boîtes couvertes de bouquets de fleurs, posées sur des tréteaux devant lui, et la main de la grosse dame se resserrait. Un autre homme en robe n'arrêtait pas de passer avec un bol fumant maintenu au bout d'une chaîne. Il le balançait d'avant en arrière, ça sentait tellement bon que Susan respirait à pleines goulées.

Mais cette fumée parfumée et ces bougies qui brûlaient partout lui donnaient également très envie de s'allonger sur le banc pour faire la sieste. Aussi, quand la musique jaillit de l'énorme instrument surmonté de tubes, elle se redressa, le visage éclairé. Il se passait quelque chose ! La musique était si belle qu'elle commença à se dandiner et à chantonner. Mais la grosse dame posa fermement les mains sur ses épaules, comme les serres d'un aigle. Susan tourna la tête : la dame tremblait et écarquillait les yeux, bouche bée. Susan évita de le regarder, mais elle était sûre que c'était à cause de l'homme accroché à la croix que la grosse dame faisait cette tête. Il était vraiment affreux avec ce sang qui coulait partout sur lui.

Enfin, tout le monde se leva.

« Pas trop tôt ! » pensa la fillette en réajustant son minuscule sac à dos sur ses épaules.

Huit costauds en costume foncé se saisirent des deux boîtes et furent suivis par tous ceux présents dans la maison de Dieu – puisque c'est apparemment à lui qu'elle appartenait. Des tas de gens embrassèrent Susan alors que les costauds chargeaient les boîtes couvertes de fleurs dans le coffre d'une voiture. Quand elle déboucha en haut des marches de l'église, l'attention de la fillette fut accaparée par la place qui s'étalait face à elle. Il avait neigé pendant l'interminable discours de l'homme en robe, tout était devenu noir et blanc. À part le manteau de Susan et les bouquets, rouge sang, les couleurs semblaient avoir été avalées par l'hiver. Susan ne résista pas à l'envie d'avancer, pendant que la grosse dame discutait à voix basse avec des gens. Ses chaussures crissèrent sur la neige gelée, comme si elle marchait sur la croûte d'un macaron géant. Elle mit ses pas dans les empreintes laissées par les costauds, ce qui lui fit faire de grandes enjambées. C'était amusant. Tout le monde la regarda s'avancer vers la voiture et s'arrêta de parler, la main sur le cœur ou les yeux écarquillés.

16

Mais Susan ne voyait personne. Accroupie, elle était maintenant occupée à fabriquer une belle boule de neige en y mélangeant des pétales de fleur tombés des couronnes mortuaires. Qu'est-ce que c'était joli, ce rouge et ce blanc. Elle se releva et chercha une cible. Le regard malicieux, elle avisa la grosse dame en haut des marches et lança la boule dans sa direction. Cette dernière étouffa un cri quand le projectile explosa à ses pieds, éparpillant les pétales, grosses gouttes de sang sur le sol immaculé. Cristallin, le rire de Susan jaillit, tétanisant de tristesse l'assemblée.

— Mon Dieu, elle est si petite... sanglota une femme, le visage enfoui dans son mouchoir.

La grosse dame tendit les bras. Son visage, rouge et gonflé, n'était pas très beau à voir, mais Susan vint la rejoindre docilement. Son doudou contre elle, elle regarda la voiture noire s'éloigner, suivie de tas d'autres voitures.

Machinalement, elle fit au revoir de la main.

— C'est fini maintenant, Susan... lui dit la grosse dame d'un air vraiment très gentil. Viens.

Elle l'emmena vers sa voiture et Susan s'installa sur la banquette arrière en prenant soin de poser son sac à dos à côté d'elle. La voiture démarra. La grosse dame la ramenait chez elle, enfin ! Elle conduisait lentement, Susan aurait aimé qu'elle aille plus vite.

C'est ce qu'elle fit, pourtant, en passant devant un gros tas de pierres noircies qui fumaient au

milieu des autres maisons : elle accéléra brutalement en se mettant à parler à toute vitesse du bon
goûter qui les attendait. D'un seul coup, tout
devenait rapide chez la grosse dame.

Mais Susan était fatiguée, elle ne l'écoutait pas.
Elle se laissa glisser sur la banquette et se boucha
le nez, le tas de pierres sentait si mauvais. Alors,
elle plaqua son doudou contre son visage et respira à fond la soyeuse étoffe bleue. Le parfum,
doux et unique, prit aussitôt la place de la terrible
odeur.

— Maman... murmura-t-elle.

1.

Onze ans plus tard
Un orphelinat dans la région des Highlands, Écosse

On était dimanche. Ce qui voulait dirc que des familles rendraient visite à M. Craig, le directeur du Home d'enfants. Certains orphelins partiraient alors pour une journée, quelques heures qui déboucheraient peut-être sur un placement en famille d'accueil plus long, une adoption, qui pouvait savoir.

D'ailleurs, consciemment ou non, les orphelins se préparaient dans cette perspective. On revêtait les habits propres, on peignait ses cheveux avec davantage de soin. Et entre deux jeux et deux promenades, on guettait l'allée de gravillons. Chaque fois, c'était la même chose, personne n'était jamais tout à fait détendu.

Susan, elle, ne se prêtait jamais à ce rituel vestimentaire. Mais sa fébrilité n'en était pourtant pas moindre. Comme tous les dimanches, elle faisait le guet, sur le toit. Depuis cet observatoire, elle ne quittait pas le parking des yeux, humant l'air comme un animal à l'affût.

Quelque chose allait arriver.

Quelque chose devait arriver.

Ça ne pouvait plus durer.

Il y avait beaucoup de visiteurs ce jour-là. Un vrai défilé dans le bureau de M. Craig.

La cinquième voiture de la matinée se gara sur le parking. Susan prit ses jumelles et observa les nouveaux venus. Ils se rapprochèrent, elle renifla par saccades et grimaça. Quelques secondes lui suffisaient pour savoir que ce n'était pas la peine de descendre et de croiser leur chemin. Aucun n'avait le bon parfum. Peut-être la prochaine voiture serait-elle celle qui annoncerait le bouleversement de sa vie ?

Mais la sixième fut aussi décevante que les précédentes.

Restait à attendre la septième. Et si la septième ne présentait aucun potentiel, eh bien, tant pis, ce serait la huitième, la quinzième ou la quarantième.

Les familles d'accueil, Susan avait donné. Vingt-deux en neuf ans, sans doute un record dans l'histoire des services sociaux écossais. Et pour rien au monde elle ne voulait repartir chez des étrangers qu'elle n'avait pas choisis. Pourtant, malgré les déceptions, malgré les années qui filaient – elle avait presque quatorze ans –, elle le savait : la famille qu'elle cherchait existait quelque part et elle finirait bien par la trouver.

Cette journée était bien partie pour être interminable. En plus, il s'était mis à pleuvoir des cordes, Susan ne sentait que cette sempiternelle odeur de marécage et de végétation mouillée. Elle descendit dans le hall, désœuvrée et un peu énervée.

Encore une journée pour rien...

Surpris par la pluie, des tas d'enfants encombraient l'espace, piaillaient et gesticulaient comme des petits oiseaux excités. Pourtant, au milieu de cette cohue, Susan s'arrêta net. Son cœur fit un double bond. Yeux mi-clos, elle inspira à pleins poumons.

Un parfum imprégnait l'air.

C'était lui.

C'était *le* parfum.

Le parfum perdu. Le signe qu'elle attendait.

Susan connaissait chaque personne ici. Il était impossible que ce soit un membre du Home qui porte cette merveille. C'était forcément une visiteuse.

Et *elle* était passée par là.

Narines frémissantes et pupilles dilatées, comme un chien déterminé à retrouver l'objet de son émoi, elle poussa sans ménagement les enfants qui se trouvaient sur son passage.

— Oh, Susan, du calme ! fit un éducateur en la retenant par le bras. On ne bouscule pas les autres comme ça... Tu t'excuses immédiatement !

Au lieu de cela, Susan se dégagea avec brutalité et se dirigea d'un pas vif vers l'extérieur en respirant frénétiquement.

Ne perds pas le parfum ! Ne le perds surtout pas !

— Hi hi, on dirait que Susan fait le chien ! ricana un petit garçon.

Une fois dehors, elle suivit la trace invisible laissée par les effluves, le long de l'allée, jusqu'au parking où une voiture démarrait, emmenant le parfum et celle qui le portait. Comme soumise à un puissant magnétisme, elle se mit à courir, de plus en plus vite, sans prêter la moindre attention aux gravillons qui entraient dans ses chaussures et meurtrissaient ses pieds.

Elle courut, courut à en perdre haleine.

À en perdre la tête, la raison, quand la voiture disparut au détour d'un virage.

Hagarde, trempée, elle fit demi-tour, traversa le parking désert, parcourut l'allée et s'engagea dans le parc, sans cesser de courir, tout en ne sachant pas vraiment où elle allait. Mais avait-elle seulement un endroit où aller ?

Elle s'arrêta net, les jambes douloureuses et les poumons en feu. Les sanglots l'étouffaient, elle hoquetait sans pouvoir contenir ses spasmes.

Elle se prit la tête entre les mains et tapa aussi violemment que si elle voulait faire entrer quelque chose de force dans son crâne. Puis elle se donna des claques sur les joues, en gémissant :

— Je vous en supplie, faites qu'elle revienne !
La femme au parfum est pour moi et pour personne d'autre. Faites qu'elle revienne, faites que
ça marche...

Elle releva la manche de sa marinière rayée et,
entre le pouce et l'index, tordit la peau de son
avant-bras déjà marquée des pincements qu'elle
s'infligeait si souvent, et la meurtrit jusqu'à
l'insupportable.

Elle finit par se laisser tomber le long d'un tronc
d'arbre. Sa tête heurta sans ménagement l'écorce
rugueuse, une fois, deux fois, trois fois. Du revers
de la main, elle essuya son visage ruisselant de
larmes et de pluie, et enfouit la tête entre ses
genoux en poussant un long cri.

Quand elle se redressa, au bout de quelques
minutes, un sourire étrange avait remplacé toute
trace de pleurs et ses yeux, plus vairons que
jamais, irradiaient d'un éclat redoutable.

* * *

L'extinction des feux avait été ordonnée une
demi-heure plus tôt par miss Gherkin, la veilleuse
de nuit, dont le tempérament acariâtre laissait peu
de place à une quelconque fantaisie nocturne. Et
pourtant, on pouvait noter une certaine agitation
dans les dortoirs du premier étage. Bientôt, des
petits pieds se mirent à trottiner dans le couloir,
fébriles mais hardis en cette nuit sombre.

À califourchon sur la rampe d'escalier, une silhouette menue se laissa glisser dans un léger bruissement. Elle atterrit sur ses pieds dans un bond gracieux et se colla contre le mur. Le couloir était plongé dans la pénombre, seule la lampe indiquant les différentes sorties de secours diffusait une lumière verte plutôt glauque. L'autre source lumineuse venait de la lune dont le premier quartier projetait des nimbes d'un augure pas vraiment engageant.

Sur le palier du premier étage, une dizaine d'ombres se pressaient les unes contre les autres, tremblantes à la fois de peur et d'excitation.

La silhouette leur fit signe depuis le bas de l'escalier.

— Venez, bande de trouillards !

— Mais si on se fait attraper ? murmura une petite voix.

— Eh bien, vous n'aurez qu'à dire que c'est ma faute ! Je vous assure que personne n'aura de mal à vous croire…

Cette dernière remarque acheva de convaincre les plus réticents. En se tenant la main pour se donner du courage, les enfants descendirent les marches à toute vitesse et rejoignirent la chef de cette équipée nocturne. Susan – puisque c'était bien d'elle qu'il s'agissait – regarda la petite troupe en pyjama, dont le membre le plus âgé venait de fêter ses huit ans. Doudou à la main, tous la regardaient comme si elle était la capitaine des pirates en personne.

— Bon, maintenant, fermez-la ! ordonna-t-elle. Il nous faut déjouer l'oreille bionique de miss Gherkin.

Un frémissement agita les tendres échines des aventuriers.

— Susan, j'ai peur… gémit l'un d'entre eux.

Susan leva les yeux au plafond.

— Tu as peur au point de ne pas vouloir connaître l'horrible secret du directeur ? lui demanda-t-elle en braquant sur lui un regard de défi.

Le garçonnet remua la tête en signe de dénégation.

— Alors, ferme ton clapet pour éviter que les lucioles viennent y pondre leurs œufs et suis-moi.

Une expression de terreur absolue s'inscrivit sur le visage du garçon. Il serra les lèvres aussi fort qu'il le put, alors que Susan regardait sévèrement les enfants un à un.

— N'oubliez pas que je vous ai choisis parmi tous les autres, souffla-t-elle. Vous êtes des pri-vi-lé-giés. Si vous faites ce que je vous dis, il ne peut rien vous arriver.

Sans piper mot, ils concentrèrent leur attention sur la capitaine Susan qui s'avançait dans le couloir obscur. Arrivés au bout, ils l'imitèrent quand elle se mit à marcher à croupetons sur le carrelage froid.

— Baissez la tête et arrêtez de respirer, murmura-t-elle.

Tous s'appliquèrent à respecter à la lettre ces recommandations, les joues gonflées d'air et les yeux écarquillés. Elle était leur chef et chacun d'eux avait été amené à apprendre – à ses propres dépens parfois – que lui obéir était une preuve de prudence, à défaut d'être un gage de sagesse.

Susan ouvrit la porte d'entrée, l'air frais de la nuit s'infiltra dans le couloir et hérissa les peaux délicates.

— C'est bon, on peut y aller ! lança-t-elle à voix basse.

Quand les enfants furent passés, elle referma la porte avec mille précautions et les fixa.

— Vous êtes prêts à affronter la vérité ?

Frissonnant dans leurs pyjamas, ils acquiescèrent. Susan les entraîna contre le mur de pierre.

— Ce que vous allez découvrir maintenant dépasse les pires de vos peurs. Quand vous saurez, il vous sera impossible de faire marche arrière, on est bien d'accord. Et si l'un d'entre vous a le malheur d'aller raconter quoi que ce soit aux adultes, qu'il se tienne prêt à subir un sort terrible. C'est bien compris ?

À l'unanimité, les petites têtes s'agitèrent de haut en bas. Susan laissa s'écouler quelques secondes avant de montrer le bosquet au fond du parc en déclarant d'une voix d'outre-tombe :

— C'est par là...

Main dans la main, les enfants suivirent Susan sur le chemin de terre bordé de rosiers aux tiges biscornues. Aucun d'eux n'était vraiment rassuré de s'éloigner de la grande bâtisse. Certains étaient même morts de frousse. Mais tous brûlaient de curiosité. De cette curiosité qui pousse à vouloir écouter des histoires terrifiantes – Susan était une championne pour raconter les plus horrifiques –, quitte à faire de mauvais rêves pendant des semaines.

Cette balade nocturne allait cependant au-delà des contes où les monstres rivalisaient avec les sorcières et les pires créatures qui puissent exister. Elle partait d'une histoire que Susan leur avait racontée un soir, différente et bien plus monstrueuse que toutes celles qu'elle leur avait racontées jusqu'alors.

Car le « héros » de cette histoire était quelqu'un de bien réel, bien connu de tous : M. Craig, le directeur du Home.

Et dans quelques minutes seulement, les enfants allaient avoir la preuve que Susan avait dit la vérité et que les cauchemars étaient parfois plus proches de la réalité qu'on pouvait le penser. Elle le leur avait garanti.

Elle les mena jusqu'à une butte de terre d'environ un mètre de hauteur, entourée d'arbres. Les feuilles, bruissant sous la brise légère, évoquaient les murmures d'êtres vivants, forcément malintentionnés, et les enfants faisaient leur possible pour garder au fond d'eux l'espoir tremblant d'en réchapper.

— Attendez là ! ordonna Susan.

Serrés les uns contre les autres, les dix petits corps se figèrent. Susan alluma la lampe frontale qu'elle avait apportée et la fixa autour de sa tête. Puis elle disparut derrière le tronc d'un arbre. Il y eut un grand raffut, on entendit des branches se casser et des pierres jetées vers le fond du sous-bois, on vit le faisceau de la lampe fendre l'obscurité comme des coups d'épée infligés à la nuit. La plus jeune de la troupe – une minuscule fillette de cinq ans – se mit à pleurer.

— Je veux rentrer… gémit-elle en cherchant son pouce.

— Pas question ! rétorqua le garçon le plus âgé. Tu as déjà oublié ce qu'a dit Susan ? On a de la chance qu'elle nous ait choisis pour partager son secret. On est des privilégiés et toi, tu pleurniches ?

La petite s'arrêta aussitôt, à grand renfort de reniflements, et se colla contre une autre fillette tout aussi effarouchée – et captivée.

Susan revint enfin, un couperet de boucher à la main. À son commandement, les enfants formèrent un demi-cercle autour d'elle, excités comme jamais.

— M. Craig n'est pas celui que vous pensez, commença la meneuse. Vous l'aimez bien parce qu'il se montre gentil avec vous, mais vous devez faire très attention, car la gentillesse des adultes cache parfois des choses beaucoup plus horribles que tout ce que vous pouvez imaginer.

— M. Craig n'est pas un monstre ! objecta un garçon. Il veut notre bien et qu'on soit tous adoptés par de bonnes familles.

Susan le fixa d'un regard qui, sous la lampe frontale, brillait d'une expression implacable.

— Ça, c'est ce qu'il cherche à vous faire croire, réfuta-t-elle. Il est fort. Très très fort. Et tu n'es pas le premier à être tombé dans le panneau, crois-moi. Même moi, j'ai failli me faire avoir.

Le garçon semblait sceptique, alors que les autres se serraient encore plus fort les uns contre les autres.

— Tiens, puisque tu t'obstines à t'accrocher à l'illusion que tout-le-monde-il-est-beau-tout-le-monde-il-est-gentil, ce sera toi qui creuseras, fit Susan en lui tendant le manche du couperet.

Le garçon empoigna l'objet et se raidit.

— Creuser ? bredouilla-t-il. Mais pourquoi ?

Susan ne prit même pas la peine de répondre, se contentant de diriger sa lampe vers le sommet de la butte. Malgré la répugnance qu'il avait à s'exécuter, le garçon obtempéra et, armé du tranchoir, il commença à retourner la terre. Tout le monde retenait son souffle, le cerveau rongé par l'angoisse.

Qu'allait-on découvrir ?

La réponse ne tarda pas. Au bout de quelques minutes, le garçon poussa un cri et tomba en arrière. Le tranchoir dégringola le long du monticule. Susan le ramassa et rejoignit le malheureux dont le pantalon s'auréolait d'une large tache humide.

— Tu as compris, n'est-ce pas ? fit-elle d'un air tout à fait lugubre.

Elle l'aida à se relever, il détala jusqu'à ses camarades.

— Qu'est-ce que t'as vu ? demanda la plus petite fillette. Un monstre ?

— Pire… pire que ça… bredouilla le garçon, les yeux tournés vers Susan.

Plus capitaine des pirates que jamais, elle se tenait campée au sommet de la butte. Avec une solennité parfaitement étudiée, elle se baissa et exhuma quelque chose de la terre pour le brandir dans le faisceau de la lampe.

Les enfants plaquèrent leur main sur leur bouche afin que leurs hurlements ne parviennent pas jusqu'à la grande bâtisse.

Susan fit glisser sa lampe frontale sous son menton. Le faisceau éclairait son visage par en dessous, lui conférant un aspect fantomatique – aussi impressionnant que prémédité…

Elle redescendit et les enfants reculèrent sans pouvoir détacher leur regard de ce spectacle digne d'un film d'horreur.

— Vous savez ce que c'est ? demanda-t-elle d'une voix grave, les mains pleines et tendues vers eux.

— Des... os... et une... tête... bégaya une fillette.

Susan opina du bonnet avant de braquer à nouveau sa lampe sur la tête humaine qu'elle tenait d'une main par les longs cheveux blonds, collés au crâne. Un œil, noir et globuleux, sortit de son orbite et se mit à pendouiller, provoquant la paralysie des petits noctambules.

Quand Susan écarta les doigts de son autre main, les os, couverts de lambeaux de chair sale, se répandirent sur le sol dans un cliquetis glaçant.

— Ce sont les restes des corps des enfants que M. Craig a prétendu avoir fait adopter... lâcha Susan.

Les enfants étaient blancs comme de la craie. Leurs yeux écarquillés passaient alternativement de Susan aux ossements en glissant au passage sur le monticule.

— Pourquoi croyez-vous que M. Craig est si gentil avec vous ? poursuivit-elle.

Personne n'avait de réponse. Susan se chargea de leur en fournir une :

— Tout simplement parce qu'il vous aime. Il vous aime comme si vous étiez ses propres enfants. Et quand quelqu'un veut vous adopter, il ne supporte pas l'idée de vous voir partir et de vous savoir aimés par d'autres que lui.

D'un geste théâtral, elle poussa du pied les os éparpillés par terre.

— Il préfère vous voir morts.

Les enfants étaient si choqués que toute réaction se retrouvait bloquée, quelque part, très loin au fond d'eux. Pétrifiés, ils restaient là, comme si seule une parfaite immobilité pouvait leur permettre d'échapper à l'horreur de cette révélation. Une petite fille finit par vomir son dîner sur le tapis de feuilles.

Susan fit un pas dans sa direction.

Ne te mets pas dans cet état... Je sais que je vous fais du mal et ça me terrifie. Mais je n'ai pas le choix...

C'était ce qu'elle aurait pu lui murmurer à l'oreille en la serrant dans ses bras.

C'était ce qu'elle aurait dû faire.

Au lieu de cela, elle l'attrapa par la main et se baissa pour récupérer sur le sol un os qu'elle colla contre le buste de la malheureuse.

— Une côte ! clama-t-elle d'un air doctoral.

Quelques cris d'effroi fusèrent. Susan avisa le plus grand des garçons.

— Tiens, toi, fouille donc ce gigantesque charnier, lui suggéra-t-elle en poussant du pied le couperet vers lui. Là-dessous, il y a des dizaines de crânes et des centaines d'ossements. J'ai même trouvé un cœur et un poumon !

Elle haussa la tête et martela dans un murmure angoissant :

— Vous voulez les voir ?

Les jambes des bambins flageolèrent alors qu'un violent frisson agitait le garçon. La peur ou le froid ? Peu importait pour Susan. Son plan était grossier, mais il avait fonctionné.

Désolée, mais maintenant, il va falloir oublier la femme au parfum. Celle-là, elle est pour moi...

2.

Elle était revenue.
Elle était là. Dans le bureau de M. Craig.

* * *

Les mains calées dans les poches, Susan trouvait qu'elle avait un air plutôt naturel pour quelqu'un qui a les pieds enfoncés dans la terre jusqu'aux chevilles. Pour ajouter une touche de crédibilité à cette attitude, somme toute inaccoutumée, elle se mit à siffloter en regardant le ciel. Cet endroit était parfait, elle l'avait très bien choisi. Dès qu'elle quitterait le directeur, la femme au parfum extraordinaire tomberait sur elle. Elle ne pouvait pas la manquer.

— Hé, toi ! Pourquoi t'es déguisé comme ça ? C'est pas Carnaval !
— Tu te crois sur Mars avec tes fringues de cosmonaute ?
— Faut être taré pour mettre des lunettes de ski en plein été !

Les enfants du Home criaient, mais, concentrée sur sa mission, Susan était imperméable à tout ce qui se passait autour d'elle. Des extraterrestres auraient pu avoir atterri à côté d'elle qu'elle ne s'en serait pas aperçue. Des extraterrestres ou un garçon, étrangement vêtu, comme celui qui s'approchait d'elle pour échapper aux quolibets des enfants.

— Salut ! fit-il. Je m'appelle Eliot.

Susan lui jeta un coup d'œil aussi bref que distrait.

— Ouais, salut... lança-t-elle, toute son attention dirigée vers l'entrée du Home. Moi, c'est Susan... ajouta-t-elle avec la précipitation de celle qui n'a pas envie qu'on la dérange.

Déstabilisé, le garçon resta immobile, sans pouvoir dire un mot. Cette fille – Susan – était-elle aveugle ? Apparemment non, puisqu'une certaine agitation sembla s'emparer d'elle quand ses parents apparurent sur le perron.

De son côté, Susan était dans tous ses états. « Déjà ? » pensa-t-elle. Vite, il ne fallait pas perdre de temps ! En voyant le couple approcher, elle rassembla tous ses efforts pour leur adresser son regard le plus adapté à ces circonstances : celui de l'Ange Irrésistible face auquel il aurait fallu être un monstre d'insensibilité pour ne pas craquer – elle s'était entraînée devant le miroir, ce regard était parfaitement au point.

La femme se trouvait tout près, maintenant.

Susan ne s'était pas trompée.

Le parfum… Le parfum flottait autour d'elle comme une auréole transparente et pourtant terriblement présente. La petite flamme tapie au fond de l'œil droit de Susan s'embrasa. Cette femme était parfaite. Elle ne pourrait jamais trouver mieux.

— Eliot, tu viens ?

— M'man, je te présente Susan, fit le garçon.

La tête légèrement inclinée sur le côté, la femme considéra Susan d'un air absent, presque distant.

— Bonjour, Susan, dit-elle poliment. Ravie de te rencontrer.

Malgré la sécheresse de cette attitude, Susan était ébranlée. Elle jeta un coup d'œil au garçon dont la présence l'importunait presque, quelques secondes plus tôt.

— Eliot, nous devons partir maintenant, fit l'homme.

— Je vais vous accompagner ! s'exclama Susan d'une voix anormalement aiguë qui la surprit elle-même.

Elle s'extirpa des trous creusés dans la terre à la forme de ses pieds et secoua ses tennis de toile.

— Oh, mais tu n'es pas si petite ! fit remarquer la femme.

Ces mots tombèrent comme la lame d'un échafaud. Susan crut que son corps se vidait de tout son sang. Consternée, elle serra les poings. Bien sûr qu'elle n'était pas si petite ! C'était bien là le problème. Sinon, pourquoi aurait-elle pris la peine de creuser ces trous pour perdre quelques centimètres ? Ah… Ces gens étaient comme tous les autres. Ils venaient sûrement pour trouver un de ces bambins mignons comme un chou. Plus ils étaient petits, plus on les voulait. C'était imparable. Et Susan le savait bien : elle n'était plus vraiment une de ces adorables créatures aux joues rondes et aux cheveux doux sur lesquelles tous les couples en mal de parenté jetaient leur dévolu. Qui voudrait d'une ado difficile avec un passé comme le sien ?

Pourtant, malgré cette déconvenue, elle ne s'avouait pas vaincue.

— Je fais plus grande que mon âge, lança-t-elle en plongeant ses yeux dans ceux de la femme.

— Oh, je vois… fit cette dernière.

Susan, elle, ne voyait rien du tout, si ce n'était la froideur de cette femme. Un morceau de banquise à elle toute seule !

Il va falloir jouer serré… pensa la jeune fille.

L'homme regarda sa montre, il était temps de partir.

— Au revoir ! À bientôt ! retentit une voix depuis le perron du Home.

La femme se retourna aussitôt.

— Au revoir, Douglas ! répondit-elle.

Susan se raidit, éberluée. Douglas était un garçon de sept ou huit ans, arrivé depuis peu dans l'institution. Elle avait vu en lui quelqu'un de gentil au point d'en être presque idiot. Mais ainsi qu'elle venait de s'en apercevoir, il n'était rien de cela puisqu'il n'hésitait pas à marcher sur ses plates-bandes *devant elle*. Quelle insupportable arrogance… Non mais pour qui il se prenait, celui-là ? Il allait le payer cher, elle s'en faisait la promesse. Mais en attendant, c'était davantage « panique à bord » qu'« opération vendetta ». Avec l'énergie de sa détermination, elle chercha Eliot des yeux. Mais elle ne rencontra que le reflet des siens dans les verres rouges de ses grosses lunettes de ski.

✳ ✳ ✳

Le bilan aurait pu être mitigé et emporter Susan dans un gouffre de perplexité. Au moment de calculer les points, on trouvait dans la colonne des débits l'insoluble problème de l'âge, le silence de l'homme et l'attitude de la femme figée à l'ère glaciaire. Et pourtant, Susan trouvait qu'elle ne s'était pas trop mal débrouillée. Car à son crédit, elle comptait tout de même un frémissement à la commissure des lèvres de la femme quand elle lui avait dit au revoir, les présentations par le fiston et, très important, un geste de lui depuis la banquette arrière de la voiture. Pas si mal pour un début. Elle avait désormais des indications sur la stratégie à mettre en place pour la suite : c'est par Eliot qu'elle pourrait atteindre la femme.

Cependant, un problème majeur apparut bientôt sous la forme d'un immense point d'interrogation : et s'il n'y avait pas de suite ? Si ces gens ne revenaient jamais ? Et pire, s'ils revenaient pour chercher ce roublard de Douglas qui, malgré son air de ne pas y toucher, avait essayé de la doubler ? C'était un sérieux souci qu'il fallait éliminer au plus vite.

Le soir même, Susan se glissa dans le dortoir de huit lits où ce rusé de Douglas dormait déjà. Elle s'assit sur le rebord du lit et plaqua la main sur la bouche du garçon. Tiré aussi brutalement de son sommeil, il écarquilla les yeux et se débattit. Puis, reconnaissant Susan, il se calma.

Malheureusement pour lui, le répit fut de courte durée.

— Toi, Douglas, je suis là pour te prévenir… commença Susan en murmurant tout près de son oreille. Si tu approches encore les gens qui sont venus cet après-midi, tu subiras le sort qu'ont subi tous les autres avant toi.

Le garçon gigota. Susan retira sa main.

— Le sort ? Quel sort ?

— La Butte de l'Horreur, Douglas, répondit Susan avec un sourire de circonstance. La Butte de l'Horreur. Tu vois de quoi je veux parler ?

Douglas voyait. Il se mit à trembler de tous ses membres. À quelques centimètres de lui et sans le regarder, Susan sortit un étui en cuir qu'elle avait glissé dans le pantalon de son pyjama. Elle dénoua les liens et en extirpa le hachoir de boucher dont tous les enfants gardaient un souvenir impérissable.

— Tu veux savoir comment M. Craig va procéder ? demanda-t-elle en tournant lentement le sinistre ustensile devant Douglas.

Le garçon fit « non » de la tête. Ce qui était loin d'être suffisant pour convaincre Susan de renoncer à l'exposé qui s'ensuivit.

— D'abord, il va te faire appeler dans son bureau. Il sera super gentil, peut-être même te proposera-t-il un bonbon, ou un gâteau. Et puis, il t'emmènera dans une pièce secrète où il a tout son matériel. Tu recevras un coup sur la tête et, quand tu te réveilleras, tu t'apercevras que tu es suspendu par les pieds et qu'une grande bassine de sang se trouve juste sous toi. Ce sang, ce sera le tien, Douglas. Ce sera le sang qui s'écoulera de ta gorge quand M. Craig l'aura tranchée. Pendant que tu seras en train de te vider, il commencera à retirer ta peau, tu sais, comme celle des lapins qu'on veut cuisiner. Tu t'en rendras compte car tu ne seras pas encore tout à fait mort. Tu auras mal, tellement mal, mais tu ne pourras pas crier à cause de ta gorge ouverte...

Elle s'interrompit et regarda le garçon droit dans les yeux :

— Tu n'en réchapperas pas, Douglas. Tu es l'un des préférés de M. Craig, tu le sais ? Il t'aime trop pour te laisser partir.

Le garçon commença à pleurer.

— Mais si tu restes au Home, tu seras épargné... conclut-elle. Tu comprends ?

Il acquiesça nerveusement.

— Mais toi, Susan ? sanglota-t-il. M. Craig ne te laissera jamais partir non plus ?

Susan rangea soigneusement le hachoir dans son étui, puis elle prit un air aussi profond que possible avant de souffler :

— Moi ? C'est différent, Douglas, il ne peut rien m'arriver.

— Pourquoi ? demanda le garçon, la voix étranglée.

— Mais parce que M. Craig ne m'aime pas, voyons ! Comment pourrait-il aimer la fille du diable ?

Elle lança un dernier regard sans équivoque au garçonnet et se leva, le laissant transi de peur sur son lit. Puis, la main sur la poignée de la porte, elle entendit le sanglot qui explosait dans la gorge de Douglas. Elle tressaillit et s'immobilisa.

Non, Susan, ne le regarde pas... Laisse-le, ne te retourne surtout pas...

Elle pressa doucement la poignée et sortit de la salle, ébranlée.

— Cette famille est pour moi et pour personne d'autre... murmura-t-elle en rejoignant son dortoir.

* * *

Le règlement du « problème Douglas » n'empêcha cependant pas un certain pessimisme de faire son chemin. Au fur et à mesure que les jours passaient, Susan voyait son espoir s'éloigner.

La femme ne revenait pas.

Son comportement en fut affecté. Le personnel du Home crut découvrir chez elle une facette qu'il ignorait. Parmi les faits nouveaux, on remarqua qu'elle faisait bande à part, rejetait ceux qui étaient ses protégés, pignochait au moment des repas, et aucune bêtise n'était à mettre à l'actif de celle qui avait réussi le prodige de devenir l'exemple absolu de ce que l'institution avait connu de pire en matière d'échec éducatif.

Non, au lieu de mettre son imagination infinie au service des pires bêtises, on la trouvait dans des coins et recoins à triturer du bout des doigts ce morceau de tissu bleu ultra-usé auquel elle semblait attacher autant de valeur qu'à la prunelle de ses yeux. Et ses jeux, souvent si étranges, parfois si cruels, semblaient abandonnés au profit de longs moments d'isolement dans le bosquet au fond du parc ou sous les combles poussiéreux du Home. Là, elle sortait de sa poche l'image de la femme au voile bleu – la mère de Dieu et de tous, la Sainte Vierge, quoi… Le papier était très abîmé et les coins cornés, bien que, deux ans plus tôt, Susan l'ait protégée en la recouvrant de bandes de scotch.

Il faut que vous m'aidiez, s'il vous plaît. Après, je vous promets que je me tiendrai tranquille et que vous n'entendrez plus jamais parler de moi.

* * *

Chacun aurait été fort surpris de constater cette suractivité intérieure et personne ne pouvait deviner qu'elle dissimulait l'élaboration de la stratégie idéale. Comment Susan aurait-elle pu réfléchir tout en se dispersant à droite et à gauche ? Son avenir était une affaire sérieuse. Elle devait mettre toutes les chances de son côté.

C'est ainsi que le personnel connut une période d'accalmie dont tous les membres goûtaient les bienfaits avec un soulagement certain. Susan était touchante, mais difficile. Ô combien difficile. Tous l'observaient du coin de l'œil, une mystérieuse boîte dont elle ne se séparait plus calée contre elle. Ils compatissaient vaguement, s'interrogeaient mollement, mais ne s'attardaient pas. Tout répit était bon à prendre, surtout quand il s'agissait de Susan. Quant à la jeune fille, peu importait ce qui se passait et ce que les uns ou les autres pouvaient penser. Son esprit restait concentré sur le parking du Home.

Son avenir dépendait exclusivement de ce parking et des voitures qui venaient s'y garer.

Trois semaines après ce jour déterminant où la vie de Susan s'était illuminée d'une nouvelle perspective, le couple foula à nouveau les gravillons de l'allée, Eliot à ses côtés. Malgré sa vigilance de chaque instant, Susan avait manqué leur arrivée en voiture. Aussi leur présence sur le chemin menant au Home prit-elle l'aspect

d'une apparition : ces gens tombaient véritablement du ciel.

Et ça, ça ressemblait à un signe du destin, à n'en
pas douter.

Repoussant farouchement l'éventualité qu'ils
ne soient pas là pour elle, Susan dévala l'escalier
plus vite qu'elle ne l'avait jamais fait. Sa boîte sous
le bras, elle arriva dans le hall, dérapa, se rattrapa
de justesse et sortit comme une trombe pour se
retrouver nez à nez avec ceux qu'elle attendait
depuis une éternité.

Quelle incroyable coïncidence ! C'est ce que sa
mine exprimait à la perfection – s'entraîner à
feindre la stupéfaction lui avait coûté des efforts
qui payaient aujourd'hui et dont elle n'était pas
peu fière.

— Hé, Susan !

Eliot l'avait reconnue.

*Ce qui veut dire qu'il ne m'a pas oubliée.
Magnifique...*

Susan regarda l'homme et la femme. Elle était
toujours aussi merveilleusement parfumée. Susan
en avait des picotements plein le corps et la tête.

— Bonjour madame, bonjour monsieur.

Parfaite. Elle était parfaite. Et elle allait vite
leur faire oublier ce rat de Douglas.

— Bonjour Susan, firent-ils de concert.

*Ils viennent me chercher. Ils viennent me cher-
cher !*

Elle se tourna vers Eliot. Malgré les lunettes de
ski et la combinaison intégrale qui le couvraient,

elle savait que le sourire éclatant qu'elle lui adressait ne pouvait pas le laisser insensible.

— Salut, Eliot ! Tu vas bien depuis la dernière fois ?

Intérieurement, elle se frottait les mains de satisfaction.

— Oui, merci, répondit le garçon.

Ils restèrent tous les quatre ainsi pendant un instant, silencieux à l'entrée du Home.

Ni tout à fait dedans ni tout à fait dehors.

Au bord de quelque chose. De quelque part. D'une terre nouvelle à conquérir.

Le cœur de Susan battait comme un fou. L'homme et la femme lui souriaient, de façon aussi certaine et incontestable qu'elle s'appelait Susan. Mais peut-être étaient-ils seulement polis ? Ou gênés ? Ils échangèrent un regard qu'elle ne sut interpréter. Tout ne relevait pas de sa stratégie...

— Nous venons voir M. Craig, dit la femme. Est-ce que ça t'ennuie de rester avec Eliot pendant que nous discutons ?

Susan faillit s'étrangler. Peu s'en fallait qu'elle ne réponde : *Mais ça fait des jours que je pense à vous et que je meurs d'envie de rester avec Eliot ! Donc, non, ça ne m'ennuie pas !*

Ce serait un peu excessif comme entrée en matière, et pourtant si vrai... Mais elle avait déjà compromis certains de ses meilleurs atouts la dernière fois, alors, elle devait rester plus attentive que jamais. Un autre faux pas et elle pouvait dire adieu à toutes ses chances de repartir un jour avec ces gens.

— Vous pouvez compter sur moi ! s'exclama-t-elle.

Puis, se tournant vers le garçon :

— Viens, je vais te faire visiter !

Ils s'éloignèrent côte à côte, laissant le couple sur le perron.

L'attention de Susan suivait deux pistes distinctes. L'une s'attachait à créer un lien avec Eliot, l'autre à vérifier que les adultes ne perdaient pas une miette de ce qui se passait. Elle avait étudié différentes possibilités, leurs avantages et leurs inconvénients. Dans la situation présente, aucun doute : le lieu idéal était le potager sur lequel le bureau de M. Craig offrait une vue panoramique de premier choix. Elle y entraîna Eliot et tous les deux s'assirent sur le petit muret de pierre, les jambes croisées dans le vide. Du coin de l'œil, Susan constata avec satisfaction que le couple et le directeur les observaient depuis la fenêtre.

Tout se déroulait selon le plan.

Malgré ces excellentes conditions, discuter avec un parfait inconnu n'était pas aussi facile qu'elle l'avait imaginé. Surtout quand cet inconnu était un garçon comme Eliot, peu bavard, caché derrière d'énormes lunettes de ski. On ne pouvait pas dire que cela facilitait la communication…

Le silence commençait à devenir embarrassant.

Pense stratégique ! Stra-té-gi-que ! se dit Susan en se donnant un petit coup de fouet mental.

Elle prit son air le plus candide et se lança :

— Alors, Eliot, quoi de neuf ?

3.

— Rien de spécial… répondit-il.

Il regarda droit devant lui.

— Et toi ?

— Moi ? Je crois que c'est les vacances d'été les plus longues et les plus barbantes de toute ma vie… Je m'ennuie comme un rat mort, ici !

En dépit des lunettes de ski et de la combinaison qui enveloppait intégralement le garçon, Susan était sûre d'avoir perçu un petit rire. Oui, un point de marqué !

Vas y, Susan, la brèche est ouverte ! s'encouragea-t-elle.

— Pourquoi t'es habillé comme ça ? demanda-t-elle.

Son attitude, savant mélange d'innocence et de spontanéité, était convaincante, elle le savait. L'entraînement finissait toujours par payer… Eliot tourna la tête dans sa direction. Connaissant l'effet que produisait son regard vairon sur les autres, elle en profita pour plonger les yeux dans ceux du garçon, ou ce qu'elle en voyait à travers les verres rouges. Mais la voix atone avec laquelle il répondit ne laissa filtrer aucun indice sur ce qu'il ressentait :

— Je mourrais si les rayons du soleil touchaient ma peau.

Susan eut un hoquet de surprise.

— Comme les vampires ?

— En quelque sorte...

— Oh, sans blague ? Alors, il faut que je me méfie de toi ? Vite, de l'ail, un crucifix !

Cette fois, aucun doute : Eliot venait de rire. Susan jubila. Son crédit augmentait. D'autant plus que le couple, en pleine discussion avec M. Craig, ne les quittait pas des yeux. Mais qu'est-ce qu'ils pouvaient bien se raconter là-bas, dans ce bureau ?

Est-ce qu'ils parlent de moi ?

— Pas besoin de tout ça, dit-il. Je suis complètement inoffensif.

— Ouf ! lâcha Susan en faisant mine de s'éponger le front.

— Moi, Eliot le vampire, et toi, Susan la fille du diable, on peut dire qu'on fait la paire... poursuivit-il.

Susan faillit tomber du muret.

— Quoi ? Mais... pourquoi tu dis ça ?

— C'est un des gamins qui t'a appelée comme ça, l'autre jour.

Réagis, Susan, vite !

— Ça n'a pas l'air de beaucoup t'impressionner ! lança-t-elle.

50

— Il en faudrait plus... répliqua-t-il.

Cette entrée en matière un peu singulière les laissa pensifs un instant avant qu'Eliot ne poursuive la conversation :

— En vérité, je suis un enfant de la Lune.

Susan fronça les sourcils.

— J'ai une maladie qui m'interdit d'être en contact avec les rayons du soleil, expliqua Eliot. Si je m'expose au soleil, c'est le cancer assuré. Ma combinaison a été fabriquée par la NASA pour empêcher les ultraviolets de passer.

— Oh...

— On appelle ça le *Xeroderma pigmentosum.*

Susan ne savait trop que penser. Ce « Xeroderma-machin-chose » était une bien terrible maladie... Mais dans le même temps, les adultes parlaient toujours en regardant dans leur direction et elle brûlait d'envie de savoir ce qu'ils se disaient.

N'y tenant plus, elle bondit sur ses pieds et, face à Eliot, elle lui lança :

— Viens, je vais te montrer ma planque ! Il y fait sombre, comme ça tu pourras retirer tes lunettes de ski et tes gants. Avec la chaleur qui fait, tu dois crever là-dessous...

* * *

Comme l'avait escompté Susan, M. Craig et le couple ne perdaient pas une miette de ce qui se passait dans le potager.

— Depuis trois semaines, mon mari, mon fils et moi-même avons beaucoup pensé à Susan, dit la femme.

M. Craig se passa la main sur le visage, troublé. Dehors, les deux enfants traversaient les plates-bandes de salade pour rejoindre le bâtiment. On les voyait clairement discuter.

Les trois adultes les suivirent des yeux jusqu'à ce qu'ils entrent dans le bâtiment.

— Je ne peux cacher que votre requête me pose quelques soucis, annonça M. Craig après un long silence.

— Puis-je vous demander pourquoi ? fit la femme.

Tout l'héritage d'une éducation parfaite et d'une totale maîtrise de ses émotions était synthétisé dans le ton qu'elle employait.

— Susan n'est pas une enfant comme les autres, répondit M. Craig.

— Mon mari et moi, nous sommes habitués aux enfants un peu… différents, voyez-vous.

M. Craig se racla la gorge.

— Pardonnez-moi, je ne voulais pas insinuer…

La fin de la phrase resta suspendue en l'air.

— En quoi Susan est-elle si différente ? reprit la femme de sa douce voix policée.

À ses côtés, l'homme écoutait, attentif mais silencieux. Son regard alternait de sa femme au directeur au fur et à mesure que l'échange progressait.

— Susan est une enfant difficile, dit le directeur. Très difficile. Nous l'avons accueillie lorsqu'elle avait trois ans, suite à la mort violente de ses parents. Ils ont péri, brûlés vifs dans l'incendie de leur maison. Seule Susan en a réchappé, un véritable miracle. Dès son arrivée au Home, elle a été prise en charge par un psychologue, son comportement après ce traumatisme étant très inquiétant. Elle refusait de parler, de manger et rejetait tout adulte voulant lui apporter un peu d'affection. Inconsciemment, elle a développé un très fort sentiment de culpabilité la poussant à se persuader qu'elle avait mérité l'abandon de ses parents, qu'elle ne pouvait pas être aimée, qu'elle n'en était pas digne. Peu à peu, elle s'est ouverte aux autres. Mais il y a toujours eu, malgré nos efforts, un profond déséquilibre en elle.

De la pièce d'à côté – la planque de Susan –, les deux enfants dressaient l'oreille. Aucune conversation se déroulant dans le bureau de M. Craig ne pouvait leur échapper, le conduit de cheminée entre les deux salles faisant office de caisse de résonance : les paroles prononcées étaient audibles d'une extrémité à l'autre.

— Hé ! Mais on entend tout ! avait soufflé Susan dans un murmure affectant la plus grande surprise.

Elle avait fait mine de vouloir entraîner Eliot hors du local. *Pas question d'espionner le directeur !* Mais Eliot avait insisté. Dans ce cas…

53

Cependant, en entendant les détails que donnait M. Craig, son visage se ferma.

— Durant les neuf années qui suivirent, Susan a été placée dans vingt-deux familles d'accueil, poursuivit M. Craig. Aucun séjour n'a pu excéder un mois, certains n'ont même duré que quelques jours. Chaque fois, ce fut une succession de catastrophes et un retour en urgence au Home.

— Pourquoi ? demanda la femme dans un souffle.

M. Craig marqua un temps de réflexion avant de répondre :

— Susan a toujours testé les limites des adultes. C'est une étape inévitable dans l'évolution et la construction de tout enfant, je vous l'accorde. Mais chez Susan s'est ajouté un imaginaire surdéveloppé qui n'a fait que s'amplifier, alors qu'il aurait dû s'estomper au fur et à mesure qu'elle grandissait. Très tôt, elle s'est créé l'image idéalisée d'une famille d'accueil. Si cette famille n'était pas précisément conforme à celle qu'elle avait imaginée, elle se révélait aussitôt réfractaire, incapable de s'adapter. Une incapacité qui a abouti à de véritables troubles du comportement...

De l'autre côté du mur, Eliot considéra fixement Susan. La jeune fille le sentit. Contrariée, elle braqua sur le garçon son étrange regard, mi-bleu mi-brun, en faisant une de ses mines préférées : celle du Bambi-perdu-dans-la-forêt.

— C'est-à-dire ? intervint le père du garçon.

— C'est-à-dire qu'elle s'est acharnée contre les personnes qui l'accueillaient. Et laissez-moi vous dire qu'il ne s'agissait pas de bêtises d'enfant, mais d'actes graves lourds de conséquences.

On entendit le bruit de tiroirs qu'on ouvre et referme, l'élastique d'un dossier qu'on claque, des papiers qu'on feuillette. Puis la voix de M. Craig, sévère comme celle d'un juge :

— Ceci est le compte-rendu du séjour de Susan dans sa dernière famille d'accueil, les Lewis. Laissez-moi vous en lire quelques extraits...

« Dès son arrivée, Susan a manifesté une franche hostilité envers mes deux garçons, mon mari et moi, Sue Lewis. Elle répétait sans cesse que nous n'étions pas la famille qu'elle cherchait. Le lendemain, je suis tombée dans l'escalier et je me suis cassé le bras. Et mon mari a découvert qu'un fil de pêche avait été tendu sur le palier... »

Je leur avais dit que ça ne marcherait pas, personne n'a voulu me croire... se dit Susan, bouillonnant d'une colère qu'elle s'efforçait de ne pas montrer. *Sans compter que cette Mme Lewis sentait le muguet à plein nez. Le muguet... On n'a pas idée... Je n'ai pas eu le choix.*

« Je sais que mes garçons sont incapables de ce genre de malveillance... Nous avons tout fait pour intégrer Susan... Deux jours plus tard, la niche de notre chien a été incendiée. Heureusement, Seigneur n'était pas dedans. »

Tu parles d'un seigneur... ironisa intérieurement Susan. *Un gros plein de soupe qui mangeait plus salement qu'un porc...*

« Nous n'avons pas compris tout de suite, mais notre voisin nous a confié qu'il avait vu Susan arroser la niche d'essence et y mettre le feu. Le lendemain, mon mari et moi, nous avons trouvé notre jeune fils de quatre ans qui venait de sauter de la fenêtre du premier étage. C'est Susan qui l'avait convaincu, pour faire comme les super-héros. Par chance, il n'a eu qu'un traumatisme crânien et deux côtes cassées... »

S'ensuivit un silence pénible dans le bureau. Juste à côté, Susan espérait que la planque soit suffisamment sombre pour qu'Eliot ne voie pas l'indignation qui contractait son visage. Le directeur avait-il *vraiment* besoin de raconter tout ça, maintenant, à cet homme, à cette femme ?

Vous êtes en train de tout gâcher, monsieur Craig. Soyez maudit jusqu'à la dix-huitième génération !

Le bruissement de feuilles qu'on consulte fit frémir la jeune fille.

— Monsieur et madame Hopper, résonna la voix de M. Craig, les données que je viens de vous confier n'ont malheureusement rien d'exceptionnel. Je veux dire par là que les Lewis ne sont pas un cas unique : j'ai là d'autres rapports tout aussi terribles, vingt et un très précisément. Car dans chacune des familles où Susan a été placée, on déplore d'innombrables blessures, fractures, brûlures, bris de dents, empoisonnements, saccages divers et variés, expériences mortelles sur animaux...

Comme si vous ne saviez pas que ça allait mal se finir, espèce d'hypocrite ! Je vous ai toujours prévenu ! Je vous ai toujours dit que je ne voulais pas aller chez ces gens ! Mais vous, vous n'en avez fait qu'à votre tête.

Susan enrageait d'entendre, impuissante, M. Craig démonter tout ce qu'elle avait construit.

— Je ne veux pas que vous soyez la vingt-troisième famille à me fournir un compte-rendu aussi... désastreux, fit-il.

— Nous comprenons bien votre inquiétude, monsieur Craig, renchérit la femme. Mais n'est-il pas normal que cette enfant éprouve de la colère, de la frustration ou de la culpabilité ? Après tout, ses actes sont l'expression de blessures qui ne demandent qu'à guérir.

— Madame, tous ceux dont nous nous occupons ont souffert et certains au moins autant que Susan. Les désordres émotionnels et psychiques de Susan ne sont pas dus qu'au traumatisme de la mort de ses parents, je vous prie de me croire.

Susan pencha la tête sur le côté et, ravalant son ressentiment, regarda Eliot avec une expression inspirant une irrésistible pitié.

— Je vais vous parler de façon très franche, reprit M. Craig. Étant donné ses graves antécédents, il ne m'a plus été possible de confier Susan à quiconque. Depuis deux ans, elle vit ici. Nous avons plus ou moins réussi à canaliser ses troubles, mais ils n'ont pas disparu pour autant. L'équilibre demeure fragile.

Je vous hais, monsieur Craig ! ragea Susan. *Moi qui croyais que vous étiez de mon côté... Si je dois rester au Home à cause de vous, il ne faudra pas vous étonner de finir sous la Butte de l'Horreur !*

C'était pourtant sans compter sur la réaction de la femme.

— Autorisez-nous à essayer au moins, fit-elle avec un calme exemplaire.

— Susan peut véritablement représenter un danger pour vous et votre famille, assena le directeur. Elle risque d'exprimer un nouveau rejet, même à l'égard des personnes les plus attentionnées.

Les joues de la jeune fille s'enflammèrent. Elle se tourna vers le conduit de la cheminée pour adresser mentalement à M. Craig la promesse des plus cruelles représailles.

— Si nous nous sommes trompés, croyez bien que nous en assumerons à la fois les conséquences et la responsabilité, ajouta le père d'Eliot d'un ton impeccablement poli, sans toutefois se départir de son autorité.

Stupéfaite par l'obstination de ces gens, Susan avait du mal à respirer. Tout se bousculait de façon si inattendue, en dehors de toute stratégie et de toute logique. Elle se tourna vers Eliot et s'aperçut qu'elle n'avait même pas remarqué qu'il avait retiré ses lunettes et sa capuche.

Attention à ce genre d'erreur, Susan...

Ses yeux verts fixés sur elle, ses traits se détendaient peu à peu, faisant perdre toute gravité à son visage blafard. Il avait plus l'air d'un ange que d'un vampire assoiffé de sang...

— Bien, monsieur et madame Hopper, votre démarche se fera donc en connaissance de cause... résonna la voix de M. Craig à travers le conduit.

Susan retint son souffle.

M. et Mme Hopper.

M. et Mme Hopper !

Ce nom sonnait comme le gong marquant la fin de la partie.

— Voyons maintenant comment Susan va considérer les choses... conclut M. Craig.

Alors, un sourire s'installa lentement sur le visage d'Eliot pendant qu'il dressait le pouce en l'air, transformant ainsi le combat personnel de Susan en un éclatant succès collectif.

Susan et les Hopper avaient réussi !

Mais connaissaient-ils vraiment le prix de leur victoire ?

4.

À partir de ce jour, les Hopper vinrent plusieurs fois au Home.

Apprivoiser la bête incontrôlable... ironisait intérieurement Susan.

À la surprise de M. Craig, Susan avait abandonné l'hostilité et toutes les menaces dont elle l'agonisait chaque fois qu'il lui trouvait une famille d'accueil. Avec les Hopper, rien ne se passait comme avec les autres. Susan se montrait enjouée, impatiente. Il aurait même pu dire : heureuse...

Et le grand jour avait fini par arriver.

Susan attendait depuis l'aube, assise sur les marches de l'escalier du hall d'entrée, sa valise à côté d'elle. La vie des autres se déroulait autour d'elle. Depuis plusieurs jours, elle n'entendait rien, ne voyait rien. Elle était déjà ailleurs, avec eux, les Hopper.

Quand ils étaient apparus dans l'allée, son cœur s'était transformé en une bombe prête à exploser

à chaque instant. Encore quelques formalités, inter-
minables, et Susan les avait suivis sans se retourner,
sans dire au revoir – à part à M. Craig dont elle pouvait difficilement refuser la main tendue.

* * *

Maintenant, la voiture filait sur la route avec
la puissance feutrée d'une comète fendant le
cosmos. À l'arrière, Susan se tenait droite comme
un I, le dos collé au cuir de la banquette, les mains
sagement plaquées sur les cuisses. Chaque seconde,
chaque mètre parcouru l'éloignait du Home et de
son passé.

Enfin.

Son regard glissa vers l'horloge digitale du
tableau de bord. À cette heure, tous les résidents
du Home étaient en train de dîner. M. Craig leur
avait-il déjà lu la lettre ? Tel qu'elle le connaissait, il attendrait sûrement que tout le monde ait
pris son dessert, pour ne pas perturber le service.
Qu'est-ce que les petits allaient être soulagés...

À tous ceux du Home,

*Quand M. Craig vous lira cette lettre, je serai en
route vers une nouvelle vie et on ne se verra
plus jamais. Je veux que vous sachiez quelque chose
de très important : je vous ai menti. Il n'y a jamais
eu de Butte de l'Horreur, j'ai inventé toutes ces
histoires. Je voulais juste que vous pensiez que*

M. Craig était un monstre, c'était vital pour moi.
Par contre, quand j'ai dit qu'il vous aimait, c'est
vrai. Il vous aime et il ne vous veut aucun mal, au
contraire (et je dis ça notamment pour Douglas,
excuse-moi, Douglas).

Je vous demande pardon de vous avoir fait peur,
je n'avais pas le choix. J'espère que vous serez tous
adoptés par de bonnes familles. Et je vous
demande pardon, monsieur Craig, de vous avoir
fait passer pour un psychopathe.

Susan

Elle aperçut son reflet dans le rétroviseur et
s'observa avec surprise. Elle était la même. Bien
sûr qu'elle était la même. Son corps s'affaissa
légèrement, épuisé, alors que sa gorge se serrait.
Un jour, on lui avait demandé comment s'appelait sa mère. Elle avait spontanément répondu
qu'elle s'appelait « Orphelinat ». Le Home,
c'était sa famille. La seule qu'elle ait connue. Et
même si elle avait tout fait pour la quitter – sa
présence dans la voiture des Hopper était la
preuve de son éclatante réussite –, son cœur était
déchiré.

Une larme glissa sur sa joue. Elle l'essuya du
revers de la main, maladroitement, et tourna la
tête vers la vitre. Une lettre, le pardon, des kilomètres... Comment pouvait-elle croire qu'elle se
débarrasserait de son passé, de ces onze années au
Home, par un simple claquement de doigts ? Il

avait toujours été là et le serait toujours, jusqu'à la fin. Collant et indestructible.

Elle sentit la main d'Eliot sur son avant-bras. Faisait-elle pitié à ce point ? Elle se dégagea, doucement, sans regarder le garçon – ce n'était pas sa faute, il ne pouvait pas savoir –, et se redressa, les yeux et l'esprit résolument fixés sur la route qui serpentait vers l'avenir.

* * *

De temps à autre, M. Hopper lui jetait un coup d'œil dans le rétroviseur. Tout comme dans le profil parfait de Mme Hopper, installée à l'avant, Susan y lisait beaucoup plus que ce qu'ils pouvaient tous les deux imaginer. Elle savait voir les points faibles tapis au fond des gens. Une clairvoyance qui était presque un don chez elle. Un don bien utile. Car les fêlures des autres, c'était ce qui lui avait permis d'obtenir ce qu'elle voulait. Toujours.

M. Hopper n'était pas le seul à l'observer du coin de l'œil. Malgré la longue mèche châtain derrière laquelle il s'abritait, Susan voyait bien qu'Eliot manifestait à son égard une certaine curiosité, de façon plus ou moins discrète, et elle en était ravie. L'intriguer faisait partie du plan.

Ce qu'elle avait constaté dans la pénombre de la planque s'était confirmé quand, une fois à l'abri des vitres teintées de la voiture, il avait à nouveau pu retirer capuche et lunettes.

Il est plutôt mignon... On dirait ce chanteur dont les filles du Home sont toutes folles...

Comme Susan, il paraissait plus petit que son âge. Il venait de fêter ses quinze ans et mesurait pourtant quelques centimètres de moins que la jeune fille, elle-même pas très grande. Mais sûrement était-ce à cause de cette étrange maladie de la Lune.

Le silence qui régnait dans l'habitacle aurait pu s'avérer déstabilisant. Pourtant, aucun des quatre voyageurs n'en paraissait gêné. Aux yeux de Susan, cette atmosphère impassible était même idéale. Elle lui permettait d'observer et de noter un maximum d'informations. Contrairement à la plupart des gens qui, dans ce genre de situation, se sentaient obligés de parler, souvent pour ne rien dire, les Hopper, eux, allaient à l'économie, comme si les mots représentaient une marchandise rare qu'il fallait utiliser avec circonspection. Aussi les échanges étaient-ils brefs et concis.

— Tout va bien ? demanda Mme Hopper.

Elle se retourna et sa queue-de-cheval voltigea derrière elle, tandis qu'Eliot opinait de la tête. Susan l'imita. C'était sûrement ainsi qu'il fallait faire.

Cependant, elle ne put s'empêcher d'ajouter :

— Oui, merci, madame.

Deux plis s'inscrivirent sur le front de Mme Hopper.

— À partir de maintenant, tu dois nous appeler Helen et James, fit-elle. D'accord ?

Sa voix était douce et cependant ferme. Susan connaissait ce mélange, il était terriblement efficace. Et souvent redoutable. Elle regarda Mme Hopper – Helen – avec toute la candeur dont elle était capable. Mais la femme n'offrit bientôt plus que son profil polaire. Un vrai bloc de glace. Seul son parfum semblait pouvoir lui conférer le statut d'être humain.

* * *

Le crépuscule commençait à envelopper le paysage en le nimbant d'une luminosité déclinante et superbe. Les vallons défilaient les uns après les autres, offrant à perte de vue une lande d'un vert aride ou d'un violet velouté. Parfois, l'eau s'invitait, marquant sa présence par des taches argentées. C'était beau, silencieux, désertique.

— Nous arrivons, signala bientôt M. Hopper.

Alors que le regard d'Eliot glissait vers Susan pour la énième fois, la jeune fille se redressa. Elle n'avait aucune idée de l'endroit où elle allait désormais vivre. La question ne l'avait même pas effleurée. Apparemment, les Hopper étaient aisés, leur maison devait être confortable. Mais c'était loin d'être le plus important. Tout le reste l'était tellement plus et faisait partie d'un vaste monde : celui de l'inconnu qu'elle avait maintenant hâte de découvrir.

On approchait. Les vitres teintées de la voiture déformaient un peu la vue que Susan pouvait avoir du parc et du *loch*[1], mais ce qu'elle en distinguait lui plaisait. Comment aurait-il pu en être autrement ? La maison des Hopper était un authentique manoir écossais en pierre grise, paré de deux tours massives. Avec le bleu presque noir des eaux, l'étrange petite maison gothique au fond du parc, le bois obscur et les croassements graves des corneilles, on aurait dit un véritable décor de film. Oh, pas de film du type « comédie romantique »... Plutôt « angoisse totale » ! Car cette demeure avait tout du manoir hanté.

La voiture avança dans l'allée bordée de bouleaux et s'arrêta devant l'entrée. Au-dessus de la grande porte à double battant, un bas-relief attira l'attention de Susan : un blason gravé dans la pierre, représentant un glaive autour duquel s'enroulait la tige hérissée d'épines d'un rosier. Dans la lumière des fenêtres à guillotine, toutes éclairées, deux silhouettes se dégagèrent bientôt en contre-jour sur le perron. Leur ombre s'étendait sur plusieurs mètres, comme si elles voulaient être les premières à accueillir la nuit qui tomberait dans quelques instants.

J'en connais certains qui seraient morts de trouille... se dit Susan.

---

1. Lac, étendue d'eau.

Les Hopper et Susan descendirent de voiture.

— Bienvenue à la maison, Susan ! fit Helen en posant prudemment la main sur l'épaule de la jeune fille.

— Bienvenue chez nous ! renchérit James.

Ils ont vraiment l'air contents.

— Susan, je te présente M. et Mme Pym, poursuivit Helen en indiquant les deux personnes âgées d'une soixantaine d'années debout devant la bâtisse. Ce sont eux qui s'occupent de tout ici, sans eux, nous serions perdus.

Les Pym baissèrent la tête, un peu gênés, mais très flattés quand même, Susan n'en doutait pas. Les gens sont parfois tellement contradictoires.

— Monsieur et madame Pym, voici Susan, notre invitée.

Susan se crispa. *Invitée ?* Oh, elle n'allait pas le rester longtemps, ça, c'était sûr. Elle salua très poliment le couple et suivit Helen, James et Eliot à l'intérieur du manoir.

Le hall paraissait presque irréel tant il était immense. Et beau... Aussi beau que le palais de la reine d'Angleterre – Susan avait vu un reportage sur Buckingham, quelque temps auparavant. Couronné par un lustre aux pampilles de cristal, un escalier monumental se séparait en deux boucles, comme des parenthèses encadrant un vitrail couvrant le mur du fond sur cinq ou six mètres de hauteur.

Des deux côtés du hall, des doubles portes s'ouvraient sur des pièces à la décoration chargée où dominaient le bois, le cuir et d'autres matériaux nobles. Susan ne savait plus où donner de la tête, il y avait tant de choses à regarder. Et à sentir ! Car dans ce décor somptueux, l'air était saturé des fragrances enivrantes de l'encaustique et de celles, appétissantes, d'un bon petit plat en train de mijoter.

Quel contraste avec le Home et son cadre rudimentaire !

Tout s'était déroulé tellement vite. Et tellement bien. Il y a quelques heures seulement, elle était encore là-bas.

Et maintenant, elle se trouvait ici, chez les Hopper. Et si leur voiture avait été toute pourrie, s'ils avaient habité un appartement quelconque dans une cité modeste, elle savait au fond d'elle que cela n'aurait rien changé.

Rien n'aurait pu l'empêcher de les choisir.

Sa chambre, à l'instar de la demeure tout entière, se révéla extraordinaire. Depuis les Carter, qui avaient pourtant mis la barre très haut, Susan n'avait jamais eu un aussi joli endroit à elle. De toute façon, il fallait se rendre à l'évidence : qui pouvait rivaliser avec les Hopper ?

Elle s'assit devant la cheminée de marbre noir. Un feu de bois y crépitait, absorbant toute l'humidité de la nuit écossaise, fraîche même au cœur de l'été. Elle sortit de son sac une boîte à sucre en métal, petite mais suffisante pour contenir les trésors dont elle ne s'était jamais séparée et auxquels elle tenait plus que tout au monde. Elle l'entrouvrit, ses yeux se plissèrent.

Merci... murmura-t-elle.

* * *

La première soirée en leur compagnie se déroula dans une quiétude inédite pour Susan, habituée au vacarme permanent du Home. La salle à manger semblait issue d'un autre temps avec ses murs couverts de panneaux en chêne massif, ses tapis bordeaux et ocre, ses meubles lourds mais si confortables. À l'imposant lustre fixé au-dessus de la table, les Hopper avaient préféré des lampes plus discrètes, et sûrement plus chaleureuses, qui paraient la peau de reflets satinés.

Mme Pym servit le dîner, simple et nourrissant, dans un calme ponctué par des informations pratiques livrées de façon éparse par Helen et James Hopper. Pourtant, comme dans la voiture, ce silence ne pesait pas le poids qu'il aurait eu ailleurs. Il faisait partie des Hopper aussi sûrement que Susan était entrée à leurs côtés dans cette incroyable demeure.

Comme le lui expliquèrent James et Helen en lui faisant visiter la vingtaine de pièces que comptait le manoir, toutes les fenêtres étaient équipées d'un filtre spécial qui permettait à Eliot de profiter de la lumière du jour sans sa combinaison de spationaute. D'ailleurs, sitôt à l'intérieur, le garçon n'avait pas perdu une seconde pour se débarrasser de sa protection, révélant sa silhouette fluette, ainsi qu'un goût prononcé pour les vêtements de la marque Hollister.

— Viens, je vais te présenter un membre de la famille que tu ne connais pas encore, fit-il à Susan dès la fin du repas.

C'étaient les premiers mots qu'il lui adressait depuis leur arrivée et Susan aurait largement préféré qu'il lui parle d'autre chose. Elle grinça des dents. Un autre Hopper ? De qui pouvait-il s'agir ? Un enfant handicapé, enfermé dans une chambre ? Un ancêtre sénile et impotent, cloué au lit ?

Le visage pincé, elle suivit Eliot jusqu'à l'immense cuisine.

— Madame Pym, vous avez vu Georgette ?

— Georgette ? Non, mais à mon avis, elle doit être en train de faire la folle dans le petit salon.

Susan se renfrogna. Ainsi, les Hopper avaient une fille. Une rivale directe prénommée Georgette et démente. Il ne manquait plus que ça !

— C'est bien possible, commenta Eliot. Merci, madame Pym.

— Je t'en prie, Eliot.

Avant qu'ils ne quittent la cuisine, la gouvernante les interpella :

— Vous ne voulez pas un bon lait de poule avant d'aller vous coucher ?

Eliot regarda Susan qui ne savait pas du tout ce qu'il fallait répondre à ce genre de proposition. Pas plus qu'elle ne savait ce qu'était un lait de poule.

— Peut-être plus tard, merci, madame Pym, répondit Eliot.

— Oui, plus tard, merci, madame Pym, répéta Susan en y mettant autant d'authenticité que possible.

— Il faut d'abord qu'on trouve Georgette avant qu'elle ne mette tout sens dessus dessous. Viens, Susan.

Ouh là, elle doit être bien atteinte, cette Georgette... se dit Susan.

Elle suivit Eliot jusqu'au petit salon où, effectivement, on s'ébattait avec un enthousiasme débridé. Le visage de Susan s'éclaira aussitôt.

— Oh, tu es là, ma petite grosse ! s'exclama Eliot en s'agenouillant.

Une chienne grassouillette sauta dans ses bras et lécha ses joues avec frénésie. Susan ne put s'empêcher de rire.

— Susan, je te présente Georgette, le carlin le plus délirant qui existe sur terre, dit Eliot sur un ton faussement cérémonieux. Georgette, voici Susan.

La jeune fille s'accroupit à son tour. La chienne en profita pour se précipiter sur elle et, les pattes avant en appui sur les genoux de Susan, fourra son museau noir écrasé dans son cou.

— Qu'est-ce que tu es mignonne, toi ! s'exclama Susan en se disant en son for intérieur que Georgette était le chien le plus affreusement laid qu'elle ait jamais rencontré.

— Un très mignon petit pot de colle, oui ! renchérit James depuis un gros fauteuil en cuir. Entre ses tentatives pour attirer mon attention et son acharnement à vouloir dévorer mes chaussettes, impossible de lire tranquillement mon journal !

Eliot glissa un coup d'œil rieur à Susan.

— On dirait qu'elle t'aime bien, fit-il en caressant l'échine du petit animal.

— Ah, vous voilà ! intervint Helen Hopper depuis l'entrée du salon. Je me demandais où vous étiez passés.

Elle s'approcha d'un pas délié en resserrant sur elle son cardigan camel. Une lueur d'amusement brillait au fond de ses yeux bleus, mais ne parvenait cependant pas à gagner le reste de son visage qui restait froid, comme irréductible à cette sorte de… relâchement.

— Il est tard, les enfants, dit-elle de cette voix douce et ferme que Susan avait remarquée. Il est l'heure de monter dans vos chambres.

Susan n'en avait pas très envie. Mais il était impensable de désobéir ou même de s'opposer. Pas le premier soir, en tout cas. Helen s'approcha d'Eliot et tendit sa joue. Le garçon l'embrassa et reçut à son tour le baiser maternel.

— Bonne nuit, fit Helen.

— Bonne nuit, m'man.

James réclama lui aussi un baiser et le même cérémonial se déroula sous les yeux de Susan, décontenancée. Que devait-elle faire ? Tout se passait entre Hopper, *en dehors* d'elle, comme si elle n'était pas là. Comme si elle n'existait pas. Elle ne trouva rien de mieux que de s'accroupir pour répondre à la demande pressante d'affection de Georgette.

Une excellente diversion, cette vilaine petite chienne.

— Bonne nuit, Susan…

Elle redressa la tête, alertée par des bouffées de parfum lui parvenant : Helen se trouvait à un mètre d'elle et la regardait, avec une douceur infime, sans l'ombre d'un sourire. Susan se releva.

— Bonne nuit… Helen… James…

Pourvu qu'Helen ne lui tende pas la joue, ainsi qu'elle l'avait fait avec Eliot ! Susan n'aurait pas su comment procéder – on échangeait peu de gestes tendres au Home, et encore moins ce genre d'embrassades. Mais Helen n'amorçait aucun mouvement en ce sens.

— À demain, dormez bien, tous les deux.

Point final. Rien à rajouter, Votre Honneur.

Susan suivit Eliot pour être sûre de ne pas commettre d'erreur. Dans le couloir du premier étage, face à la porte de leur chambre, ils se saluèrent à leur tour.

— Si tu as besoin de quoi que ce soit, tu sais où me trouver, d'accord ?

— D'accord, fit en écho la jeune fille.

Elle tourna le dos, entra dans sa chambre et se jeta sur le lit.

Son lit.

Son confortable, magnifique, merveilleux lit.

Étendue, bras et jambes en X, elle fixa le plafond, néant blanc et pur, et inspira profondément. Puis elle finit par fermer les yeux, grisée par les effluves du parfum d'Helen, sourire aux lèvres.

Bienheureuse comme jamais.

5.

Pourtant, l'excitation s'avéra plus forte que la sérénité enveloppante de la nouvelle chambre de Susan. Après quelques dizaines de minutes d'un sommeil profond, la jeune fille tournait sans cesse dans son lit, parfaitement éveillée.

Voilà longtemps qu'elle n'avait pas dormi ailleurs qu'au Home. Deux ans, quatre mois et vingt-sept jours, pour être tout à fait précise. Cherchant à s'occuper, elle focalisa son attention sur tous les bruits qu'elle pouvait entendre. Entre les craquements du bois, le souffle léger de la brise dans les conduits, le grincement d'un volet mal fixé, le manoir en proposait une belle collection.

Ce n'est cependant aucun d'eux qui fit se redresser Susan dans son lit. Ses pupilles s'agrandirent, ses narines frémirent, alors que son corps se contractait, à l'affût.

Le parfum.

Le parfum était là. Il s'insinuait sous la porte, flottait au-dessus de son lit.

L'appelait.

Alors, elle se leva.

Les gonds grincèrent quand elle tourna la poignée. Elle retint sa respiration. Le parfum l'étourdissait d'émotion, l'obscurité de cette immense maison encore inconnue la saisissait d'effroi.

Mais rien ne pouvait l'arrêter.

Le parquet rendait très peu discrète cette expédition nocturne. À chaque pas ou presque, un craquement amplifié au centuple retentissait dans les oreilles – et surtout l'esprit – de la jeune fille. Ce sol préhistorique cherchait par tous les moyens à dénoncer sa présence, c'était flagrant… Sa chambre étant équipée d'une salle de bains et de sanitaires, elle n'avait rien à faire dans les couloirs en pleine nuit, encore moins au rez-de-chaussée. Elle le savait bien.

Le nez en l'air, palpitante, elle s'engagea dans le corridor tapissé de tableaux représentant ceux qui avaient occupé ces lieux pendant des siècles. Les regards étaient fixes, mais les visages, rendus cireux par la patine de la peinture et la faible clarté lunaire, n'avaient rien perdu de l'expression de ceux qui avaient posé pour la postérité. Souvent sérieux, parfois sévères, ils se tenaient alignés comme les gardiens muets des lieux. Au bout de ce couloir richement peuplé, une armure en métal argenté veillait sur le grand escalier. Elle se serait mise en mouvement pour lui barrer le chemin que Susan n'en aurait pas été étonnée. Ce qui ne l'empêcha pas de garder une distance prudente.

Plus bas, le rez-de-chaussée était si sombre qu'il paraissait s'enfoncer dans les profondeurs du manoir. Catacombes ? Crypte ? Avec un tel décor, on pouvait tout imaginer...

En d'autres circonstances, Susan aurait pu être impressionnée par cette atmosphère glauque. Toutefois, à la seconde où elle avait franchi la porte d'entrée, elle s'était sentie... chez elle. Aussi, sans comprendre comment elle pouvait en être si sûre, elle savait exactement d'où émanait le parfum : de la bibliothèque, entre le bureau et le salon.

À peine eut-elle ouvert la porte que la petite chienne bondit vers elle.

— Ah ! Tu es là, toi ! fit Susan.

De la cheminée émanaient lumière et chaleur, issues des dernières braises rougeoyantes de la flambée faite un peu plus tôt, dans la soirée. Une température plus élevée que dans le reste de la maison, la moiteur poussiéreuse à laquelle se mêlaient l'empreinte du parfum, l'étouffement du moindre son... Cette pièce offrait une ambiance particulière.

Susan referma avec soin la porte derrière elle et s'avança jusqu'aux canapés en cuir installés en vis-à-vis. Elle parcourut des yeux les rayonnages, croulant sous les livres, qui couvraient les murs du sol au plafond. Malgré elle et en dépit de toute vraisemblance, elle cherchait quelque chose.

Sans avoir la moindre idée de ce dont il pouvait s'agir.

Plantée au milieu de la pièce, elle ne savait absolument pas ce qu'elle devait faire. Elle se baissa et prit Georgette dans ses bras. La chienne lui en fut reconnaissante. Pelotonnée contre la jeune fille, elle ne tarda pas à émettre des bruits de gorge peu ragoûtants, mais plutôt cocasses. Elle semblait tout à fait à l'aise, contrairement à Susan qui avait l'inquiétante impression d'être observée.

— Il y a quelqu'un ? chuchota-t-elle en serrant Georgette contre elle.

Cette impression se mua en une franche angoisse quand elle vit une ombre traverser la bibliothèque. Sidérée, elle sentit dans son sillage le souffle d'un courant d'air glacial qui fit onduler les lourds rideaux de velours bleu quand elle repassa dans l'autre sens pour disparaître *dans* le mur. Il ne faisait pas froid, et pourtant Susan se sentit glacée jusqu'à la moelle.

— Qui... qui êtes-vous ? bredouilla-t-elle avec la farouche envie de fuir à toutes jambes.

Telle une terrifiante réponse, quelques livres tombèrent soudain de l'étagère et, bien que le bruit de leur chute fût assourdi par l'épaisseur du tapis, Susan sursauta. Elle se retourna brusquement, le souffle court, et entrouvrit la bouche. Mais les mots restèrent bloqués. De toute façon, elle n'obtiendrait aucune réponse à ses questions, elle le savait bien. Elle parcourut des yeux les rayonnages. Hormis ceux qui avaient jailli comme des diables de leur boîte, les livres paraissaient endormis, blottis les uns contre les autres dans une immobilité bientôt dérangée par une nouvelle étrangeté.

Presque caché entre deux rangées de livres, un objet bougeait.

Il bougeait *vraiment.*

Susan n'avait jamais vu un tel phénomène. Intriguée, elle s'approcha. La nuit était claire et la lune jetait quelques rayons laiteux sur la bibliothèque, mais pas suffisamment pour permettre à Susan de voir l'objet en détail. Fallait-il allumer la lumière ? Et prendre un risque supplémentaire de se faire repérer ? Elle soupira. Le seul fait de se trouver dans cette pièce en pleine nuit était un risque. La vie entière était un risque. Alors, avisant la lampe de lecture fixée à la tablette, elle actionna l'interrupteur.

L'objet s'arrêta aussitôt de bouger.

— Je n'ai quand même pas rêvé ! murmura la jeune fille.

Sitôt ces mots prononcés, l'objet reprit son mouvement. D'abord agité de tremblements, il se mit à tourner sur lui-même à une vitesse telle que Susan aurait eu du mal à dire à quoi il ressemblait.

La curiosité la rendait souvent hardie, voire aventureuse, et ce qu'elle avait sous les yeux ne faisait qu'attiser ce trait de personnalité. Elle déposa Georgette sur le sol, tendit le bras et se saisit de l'objet.

Fait de cuir brun tanné, brillant comme un marron, il pesait relativement lourd malgré sa petite taille, une dizaine de centimètres tout au plus. Susan entreprit de l'observer de plus près. Il représentait la silhouette sommaire d'un être humain au tronc et aux membres épais, les extrémités des bras plaquées sur les oreilles. Quant à la face, elle ne manquait pas de l'intriguer : des coutures d'un rouge foncé presque noir, profondément ancrées dans le cuir, obturaient la bouche et les yeux. Malgré son total manque d'expression, cette sorte d'idole inquiétante mettait mal à l'aise.
— T'es flippante, toi… murmura Susan.
Elle tourna la figurine plusieurs fois entre ses mains, jusqu'à manquer de la lâcher quand un son en émergea. Un bruissement semblable à du papier de soie que l'on froisse. Susan approcha la figurine de son oreille et plissa les yeux. Non, elle connaissait ce bruit. Ce n'était pas celui du papier froissé, mais celui d'un insecte enfermé à l'intérieur ! Plus d'une fois elle l'avait entendu lors de ses expérimentations entomologiques sur la survie en milieu clos – en l'occurrence des bocaux ou des sacs plastique. Elle fronça les sourcils. Comment un insecte aurait-il pu entrer ? Et comment pouvait-il vibrer de la sorte dans le corps rembourré ? Elle manipula l'étrange poupée dans tous les sens, le bruissement s'accentua. L'insecte comprenait-il

qu'on venait à son secours ? Susan essaya d'écarter les fils qui fermaient la bouche, les gratta du bout de l'ongle, en vain. Ils faisaient corps avec la matière, comme fusionnés.

Soudain, Georgette s'affola et Susan avec elle : on descendait l'escalier. La jeune fille éteignit précipitamment la lampe et plongea derrière un canapé. Une lumière apparut sous la porte, bientôt obscurcie par deux taches noires.

Quelqu'un se tenait là, immobile.

Susan se recroquevilla, la figurine serrée dans la main, Georgette à ses côtés. Quand cette dernière recommença à haleter, la jeune fille leva les yeux au ciel.

Cette chienne n'est pas seulement laide, elle est aussi stupide ! pensa-t-elle.

Résultat : la poignée de la porte se mit à tourner, millimètre par millimètre, clouant un peu plus Susan contre le canapé qui lui servait de cachette. Quand la porte s'ouvrit, Georgette regarda Susan avec sa frénésie naturelle et tira la langue avant de se précipiter vers celui ou celle qui se trouvait dans l'embrasure. Sitôt la petite chienne passée, la porte se referma et, quelques instants plus tard, le manoir était à nouveau plongé dans le silence de la nuit.

La main serrée sur la figurine, Susan attendit un moment avant de se diriger vers l'escalier à pas de loup, plutôt soulagée de quitter cette pièce oppressante. Arrivée au pied des marches, elle eut pourtant à nouveau l'impression d'être observée, suivie, pistée. Elle se retourna brutalement pour surprendre l'espion. Mais la surprise se retourna contre elle.

La porte d'entrée venait de s'ouvrir.

Dans la morne lumière de la lanterne du perron se détachait une silhouette.

* * *

— Tu n'arrives pas à dormir ?

Instinctivement, Susan recula. Elle put retenir un cri de frayeur, mais faillit s'étaler de tout son long après avoir heurté la première marche. Elle s'agrippa de justesse à la rampe et leva les yeux vers la porte. Quand elle distingua une autre forme à ses côtés, ô combien reconnaissable avec son corps potelé fiché sur quatre courtes pattes, elle respira à nouveau.

— Eliot ? C'est toi ? fit-elle, à court d'air.

— Euh... oui...

Susan s'avança dans le grand hall et franchit le palier, tout en cachant précipitamment la statuette dans la poche de son pyjama. Eliot lui apparut alors avec netteté, malgré la faible lumière de la lanterne. Il faisait un peu frais, pourtant, le garçon était torse nu, seulement vêtu d'un bas de survêtement. Dans ses mains, un ballon qu'il faisait tourner distraitement.

— Ça va ? lança-t-il.

— Tu m'as fait trop peur...

— Excuse-moi.

— Oh, j'ai survécu à pire que ça, t'inquiète.

Ils s'observèrent pendant quelques secondes, intrigués par leur présence réciproque à cette heure tardive.

— Qu'est-ce que tu fais dehors en pleine nuit ? lui demanda Susan.

— Je m'éclate… Je respire. J'essaie de vivre comme un gars normal. Tu ne te souviens pas que je suis un « enfant de la Lune » ?

— Si…

Il s'arrêta de dribbler – Georgette l'en empêchait définitivement – et baissa la tête. Face à lui, Susan profitait de la pénombre pour l'examiner sans paraître trop indiscrète. Il devait en avoir tellement assez de passer pour une bête curieuse.

— Tu ne peux pas imaginer comme ça fait du bien de sentir l'air sur sa peau, ajouta-t-il dans un souffle. C'est comme si j'étais libre…

Susan tressaillit. Chacun à sa façon, ils n'étaient pas tout à fait comme la plupart des ados. Pas du tout ? À ce point-là ? Elle secoua la tête, comme pour chasser cette pensée qui avait quelque chose de réconfortant – elle se sentait moins seule –, mais aussi de très troublant.

— Tu sais que je suis super forte au foot ? fit-elle d'un ton précipité.

Eliot la regarda d'un air amusé.

— Ah oui ? Eh bien, on va voir ça tout de suite !

Il lui lança le ballon, provoquant dans le même temps un vif intérêt chez Georgette qui se mit à bondir joyeusement. Il entraîna Susan à l'écart du manoir et ils échangèrent quelques passes dans l'herbe humide.

— Il faut que je te montre quelque chose ! dit-il soudain.

Intriguée, Susan le suivit. Ils contournèrent la bâtisse pour déboucher sur une grande terrasse dallée. Eliot ouvrit un boîtier fixé dans le sol et, tel un mirage en plein désert, une piscine aux eaux d'un bleu fabuleux apparut dans la nuit, protégée par un dôme transparent et éclairée par le fond grâce à des spots qui amplifiaient l'impression d'irréalité. Sous les yeux déconcertés de Susan, Eliot se débarrassa de son jogging et, seulement vêtu d'un caleçon, prit son élan et plongea.

— Viens ! fit-il en émergeant de l'eau d'où s'échappaient des volutes brumeuses. Elle est trop bonne !

Susan fit non de la tête.

— C'est chauffé, tu sais !

— Je ne sais pas nager, lâcha Susan, un peu honteuse.

— Alors je t'apprendrai, si tu veux ! rétorqua-t-il simplement.

Oui, je veux bien… pensa Susan, surprise de la réaction du garçon. Et de la sienne.

Détendue, elle s'assit au bord de la piscine et releva le bas de son pyjama pour mettre les pieds dans l'eau. Elle bougea doucement les jambes, la sensation était délicieuse. Georgette s'était installée à côté d'elle et remuait la queue en regardant Eliot.

Le garçon se hissa enfin hors de l'eau et se secoua, projetant au passage quelques gouttelettes sur Susan. Puis il remit son bas de jogging et vint s'asseoir à côté d'elle, si près que leurs hanches se touchèrent. À ce contact, Susan faillit se pousser, d'autant plus que la place ne manquait pas. Mais elle n'en fit rien. Après tout, ni elle ni lui n'en paraissaient gênés.

Eliot prit la même posture qu'elle, coudes sur les genoux, menton posé sur la paume des mains en coupe.

— Tu crois qu'il y a des fantômes ici ? demanda-t-elle à brûle-pourpoint.

— Bien sûr !

— Comment ça ?

— Dans toute demeure écossaise qui se respecte, il y a des fantômes, c'est bien connu, répondit Eliot, rieur.

Le visage de Susan se crispa.

— Tu as vu quelque chose ? demanda le garçon, soudain sérieux.

— Non... Je dirais plutôt que j'ai senti quelque chose...

— Comme si tu étais observée ?

— Oui.

— Je ressens ça aussi parfois...

— C'est vrai ? fit Susan en se tournant vers lui.

Eliot opina de la tête.

— Tu crois que c'est quoi ? poursuivit Susan.

— Je ne sais pas. Je suppose que, comme les gens, les maisons ont leurs secrets et leurs mystères...

À cet instant, la statuette se mit à gigoter à l'intérieur de la poche de Susan et toute l'attention que la jeune fille portait à Eliot s'évanouit.

— On n'est pas censés être là... bredouilla-t-elle, préoccupée. Ta mère serait fâchée...

Son excuse n'était pas fameuse, elle le savait. Mais l'urgence bousculait tout. Et elle s'étonnait de le regretter.

— C'est sûr, soupira Eliot en se levant.

Susan le suivit à l'intérieur du manoir. Leurs pieds humides laissèrent des empreintes de plus en plus ténues au fur et à mesure qu'ils montaient l'escalier pour rejoindre le premier étage. Chacun devant sa porte de chambre, ils échangèrent un dernier regard.

— C'était chouette... À demain.

— Oui, c'était vraiment chouette. À demain, Eliot...

* * *

Une fois à l'abri de sa chambre, Susan fourra l'étrange figurine dans la commode, entre les quelques affaires qu'elle avait déballées à la va-vite, pyjamas usés et marinières élimées.

Puis elle se ravisa. L'objet n'était pas du tout supposé se trouver en sa possession. Elle secoua la tête, tracassée. Si quelqu'un se rendait compte de sa disparition et qu'on fouillait dans sa chambre…

Non, Susan, ne pense pas à ça… Ça n'arrivera pas.

Et pourtant, en dépit du risque, impossible de faire autrement : il lui fallait cette figurine coûte que coûte. Elle balaya la pièce du regard, en quête d'une cachette insoupçonnable.

Soudain, elle sourit : les festons qui couvraient le mécanisme coulissant des rideaux feraient tout à fait l'affaire. Personne n'irait la chercher à cet endroit – à supposer que quelqu'un la cherchât. Susan dénoua le cordon qui liait le rideau au crochet et fixa à nouveau le tout en intégrant la mystérieuse poupée.

On dirait un pendu !

Elle arrangea les pans du rideau de lin et elle se frotta les mains avant de rejoindre son lit, épuisée par le mélange d'émotions nouvelles qui inondaient son esprit, son cœur, sa conscience.

Tout son être.

6.

Susan se redressa dans son lit, réveillée en sursaut par les petits coups, pourtant légers, qu'on tapait à la porte de sa chambre.

— Oui ? s'enquit-elle.

C'était sûrement ainsi qu'il fallait faire – elle l'avait vu dans des films.

— C'est Mme Pym...

Susan jeta machinalement un coup d'œil au réveil posé sur la table de nuit. Onze heures. Onze heures ! Elle se leva en vitesse et entrouvrit la porte.

— Souhaitez-vous venir prendre votre petit déjeuner ? demanda la gouvernante.

Voilà une façon super polie de me faire remarquer qu'il est tard et qu'il serait temps que je me bouge ! remarqua la jeune fille. *Je vais vraiment passer pour une feignasse...*

— Oh, là où j'étais avant, je ne prenais jamais de petit déjeuner ! mentit-elle.

Mais pourquoi tu racontes des bobards pareils ! Tu a-do-res le petit déjeuner !

Mme Pym la regarda avec désapprobation.

— Vous êtes en pleine croissance, dit-elle d'un ton gentiment moralisateur. Il ne faut pas négliger votre équilibre alimentaire.

— Vous avez raison… fit Susan, soulagée. Je viens tout de suite !

— Je vous attends dans la cuisine.

Après avoir procédé à une toilette de chat et revêtu les habits de la veille, Susan rejoignit la gouvernante sans croiser âme qui vive. Mais où étaient les Hopper ? Et Eliot ?

Ces questions passèrent au second plan quand elle s'installa devant le plus magistral, le plus appétissant des petits déjeuners qu'elle ait jamais eu l'occasion de prendre. Elle se rendit compte que le dîner de la veille était loin, d'autant plus qu'elle n'avait fait que picorer. Elle crevait de faim !

Mme Pym la regardait du coin de l'œil, avec satisfaction et une certaine bonté. Puis elle s'approcha, un paquet à la main.

— Eliot a laissé ceci pour vous.

— Il n'est pas là ? l'interrogea Susan, à nouveau sur le qui-vive.

— Il est avec Monsieur chez le dermatologue pour sa visite mensuelle, expliqua la gouvernante.

Susan ouvrit le paquet et découvrit une console de jeux, accompagnée d'un petit mot griffonné :

« Je te laisse ma DS pour que tu ne t'ennuies pas pendant que je serai parti, à tout à l'heure. Eliot. »

C'est sympa... se dit-elle.

— Merci pour ce déjeuner, madame Pym ! lança-t-elle en débarrassant sa tasse et ses couverts. C'était vraiment bon.

Elle erra dans le hall d'entrée, s'assit sur la première marche de l'escalier, la DS à la main. Elle n'avait pas très envie de jouer. Enfin... non... En vérité, elle ne savait pas comment on utilisait ce genre de console. Mais Eliot ne pouvait pas deviner. C'était gentil quand même d'avoir pensé à elle. Finalement, elle décida d'attendre le retour du garçon dans le petit salon – ce serait moins louche que directement dans l'entrée.

L'écho de voix à l'extérieur attira son attention. Elle s'approcha de la fenêtre mi-ouverte et tira légèrement le rideau pour dissimuler sa présence. Elle reconnut Helen sur la terrasse, en pleine discussion avec deux femmes.

— James et moi, nous serions si heureux d'organiser ton mariage ici, au manoir ! s'exclama Helen.

— Tu es sûre ? fit une des deux femmes.

— Sûre et certaine, petite sœur ! répondit Helen. Ce sera une fête mémorable !

— Je n'en doute pas... renchérit la sœur. Tout le monde connaît ton légendaire sens de l'organisation !

Le rire des trois femmes éclata joliment. Mais Susan n'entendait que celui d'Helen. Il lui arrivait donc de se laisser aller à des réactions spontanées... Le vagissement d'un bébé se mêla à la discussion enjouée.

— Oh, Mary, je meurs d'envie de câliner ton adorable petit Luke ! s'exclama Helen. Je peux ?

Elle n'attendit pas la réponse de son amie et se pencha au-dessus du landau qui s'agitait mollement. Quand elle se redressa, Susan la découvrit avec un nourrisson dans les bras et, sans en distinguer la raison, elle sentit son cœur se serrer. Il émanait tant de douceur de la façon qu'avait Helen de maintenir la minuscule tête, tant de tendresse de ses baisers légers. Tant d'amour de la berceuse qu'elle chantonnait.

L'amour que seule une femme qui est mère pouvait éprouver.

Le cœur de Susan n'était plus serré : il était noir d'amertume. Helen était-elle capable d'autant de prévenance avec elle ? S'était-elle demandé si Susan avait besoin de quelque chose ? Non. Avait-elle pris la peine de venir la réveiller elle-même après cette toute première nuit au manoir ? Non. Toute son attention tournait autour de ce bébé. C'est lui qui était important. Pas elle, l'ado orpheline bourrée de troubles du comportement.

Tu ne connaîtras jamais ce genre de trucs, grinça-t-elle depuis sa cachette. *Pas la peine de te faire du mal. T'es bien trop grande pour qu'Helen te câline comme un bébé.*

Les poings serrés, elle sortit du salon. Mme Pym la vit passer en trombe et grimper quatre à quatre les marches jusqu'au premier étage. Inquiète, elle la suivit et colla son oreille à la porte de la chambre de la jeune fille. Et bien que, de l'autre côté, Susan ait enfoncé son visage dans un oreiller, au point de ne plus pouvoir respirer, la gouvernante perçut les pleurs qui l'agitaient.

Quelques minutes plus tard, Helen Hopper toquait avec délicatesse, sans obtenir de réponse.

— Susan ? Je peux entrer ? demanda-t-elle en entrouvrant la porte.

Susan eut à peine le temps de retirer l'oreiller et d'essuyer vite fait ses larmes qu'Helen se trouvait là, assise au bord du lit, juste à côté d'elle.

— Qu'est-ce qui ne va pas, Susan ? demanda-t-elle en effleurant ses cheveux du bout des doigts.

Sa voix, le geste… C'était si doux. Doux comme un murmure. Doux comme une caresse. Susan tourna la tête, le cœur à la renverse.

— J'avais mal à la tête, mais ça va mieux maintenant.

— Eliot va bientôt revenir, annonça Helen après un instant de silence. Nous pourrons déjeuner tous ensemble. D'accord ?

— D'accord.

Helen la regarda. Quand elle posa la main sur son avant-bras, Susan crut craquer. Mais Helen quittait déjà la chambre.

* * *

— Susan ? Qu'est-ce que tu en penses ?

La jeune fille sursauta. Prenant conscience de sa posture, fourchette en l'air et regard dans le vide, elle revint sur terre, à la table des Hopper.

— Excusez-moi... marmonna-t-elle, un peu gênée.

— Maman voulait savoir ce que tu pensais de l'idée d'un lâcher de colombes pour le mariage de sa sœur, lui glissa Eliot d'un air complice. Moi, je penchais plutôt pour des ballons...

Les paupières de Susan papillonnèrent. Elle ne savait pas qui ou quoi regarder. Les Hopper voulaient *vraiment* son avis ? Mais elle n'avait *jamais* assisté à un mariage, elle n'avait *aucune* idée de ce qu'il fallait répondre. Si elle se prononçait pour les colombes, Eliot serait peut-être vexé. Et inversement, si elle choisissait les ballons, ce serait Helen qui pourrait le prendre mal. Elle n'arrivait pas à penser, la vision d'Helen avec le bébé dans les bras, toute cette douceur, ce parfum... C'était très perturbant.

—Mais laissez-la donc tranquille avec vos histoires ! intervint James avec un petit rire.

Susan faillit le remercier, mais s'en abstint.

Tu fais ça et t'es complètement grillée...

Sans comprendre d'où cette idée lui venait, elle se surprit à répondre :

— Des lanternes volantes, ça peut être joli aussi...

96

Helen afficha un air surpris qui, au premier abord, ne fit qu'inquiéter la jeune fille.

— Mais quelle excellente idée ! s'enthousiasma la maîtresse de maison. À la nuit tombée, ce sera merveilleux. Bravo, Susan !

Le sourire – pourtant réservé – qu'elle lui adressa n'arrangea rien au malaise de la jeune fille. Au contraire, c'est comme s'il la rendait plus fragile. Elle baissa la tête et se concentra sur son assiette, sous le regard d'Eliot, tracassé de la trouver si triste.

Si loin.

* * *

Eliot.

À la seconde où il l'avait vue, il avait su.

Elle avait débouché sur le parking alors que son père démarrait la voiture.

Une biche affolée, les yeux écarquillés, les jambes maigres et tremblantes.

Le plus joli visage qu'il ait jamais vu.

Il s'était retourné, elle courait derrière la voiture et il avait eu peur qu'elle tombe, qu'elle se blesse sur l'asphalte trempé. Dire à son père de s'arrêter ? Il y avait pensé, mais il en avait été incapable.

Dès lors, il avait exercé une pression sans précédent sur ses parents. Lui, d'habitude si complaisant, si facile à vivre, s'était montré insistant, presque capricieux, comme en proie à une idée fixe nommée Susan. À part son prénom saisi au vol lorsqu'un des enfants avait interpellé la jeune fille et l'énorme émotion qu'elle créait en lui, il ne savait rien d'elle. Alors, il avait bluffé et déballé les plus gros mensonges de toute sa vie, prétendu avoir rencontré Susan, manifesté un enthousiasme qu'il ressentait, mais qui ne se basait sur rien d'autre qu'une conviction aussi intime que puissante. Surpris, ses parents s'étaient laissé gagner par son exaltation. Et poussés par leur fils, les Hopper avaient fini par revenir au Home. Eliot avait revu Susan, il lui avait même parlé, le cœur battant, en la mangeant des yeux. Elle lui plaisait tellement. Personne ne lui avait jamais plu autant que Susan lui plaisait. En avait-elle eu conscience ? Certainement non. Pourtant, leur deuxième rencontre, décisive, pouvait le laisser entendre.

Et ce fut dans la pénombre de la planque, derrière le bureau de M. Craig, qu'Eliot avait compris qu'il était fou amoureux.

Il s'imagina lui dire tout cela. Mais le courage lui manquait. Qu'était-il censé faire dans ces circonstances ? Lui prendre la main ? Mettre le bras autour de ses épaules ? Ça, c'était ce qu'on voyait dans les films ou dans ses séries favorites. Dans la vraie vie, les choses étaient un peu plus difficiles.

7.

Helen Hopper les regarda s'éloigner depuis le perron, son fils enveloppé de sa combinaison spatiale, et Susan, étrange petite personne flottant dans son jean et sa marinière. Ses clavicules saillaient sous le tissu, comme de petites ailes encore trop frêles pour pouvoir se déployer. Avec ses cheveux blonds ébouriffés, son visage creusé, son regard vairon, ardent et insaisissable, elle n'avait rien d'une adolescente de presque quatorze ans. Quel singulier duo ils formaient tous les deux…

— Je vais te faire la visite du domaine, annonça Eliot.

— D'accord ! approuva Susan, non sans remarquer combien son guide était sérieux.

Des aboiements joyeux retentirent derrière eux : Georgette souhaitait très clairement participer à la promenade.

— Elle est toujours comme ça ? demanda Susan.

— Toujours, répondit Eliot en grattant le petit animal entre les deux oreilles. Et encore, là, elle est calme.

Ils s'amusèrent un moment des facéties de Georgette qui se roulait dans l'herbe, exposant à qui voulait le voir son ventre dodu. Puis la chienne se rua vers le fond du parc, en direction de l'étonnante maison, à mi-chemin entre une chapelle gothique et un charmant pavillon de chasse, que Susan avait remarquée lors de son arrivée la veille. Elle n'avait pas l'air abandonnée.

— Qui habite là ? fit-elle en pointant le doigt vers la bâtisse. M. et Mme Pym ?

— Non, mon grand-père.

— Ton grand-père ? Pourquoi ? Il n'y a pas assez de place dans le manoir ?

— Si ! Mais ma mère le trouve un peu dérangé, ils ne se parlent plus depuis la mort de ma grand-mère.

— Tu veux dire qu'il est fou ?

Eliot ne répondit pas. Susan haussa les épaules. Après le carlin survolté, voilà que les Hopper abritaient un vieux dément. Décidément, elle avait atterri dans une vraie maison de dingues ! À croire que ce manoir était un asile psychiatrique.

— Qu'est-ce que tu préfères ? reprit Eliot. Le lac ? la serre de ma mère ? le potager de citrouilles ? Elles sont énormes, il faut que tu voies ça…

— Et si on allait dans le bois ? rétorqua Susan.

Elle écarquilla les yeux en s'entendant faire cette proposition, alors que la dernière évoquée par Eliot l'intriguait particulièrement.

— Le bois ? s'étonna Eliot. Bon, pourquoi pas...

Bientôt rejoints par Georgette, ils se dirigèrent vers la futaie qui bordait en partie les limites de la propriété. Sa sombre exubérance la rendait peu engageante, voire sinistre. Pourtant, comme lors de sa visite nocturne dans la bibliothèque, Susan savait qu'elle devait aller là-bas. Pour quelle raison ? Impossible de le deviner.

Il fallait qu'elle y aille.

Un point, c'est tout.

Un chemin de terre battue semblait conduire au cœur de la forêt. Le trouver avait demandé quelques efforts, mais, une fois l'accès débusqué, le sous-bois offrait toute sa généreuse splendeur. La lumière filtrait avec parcimonie, créant des ombres errantes entre le tronc des arbres et les fougères. Tout comme elle, la tiédeur de l'été ne parvenait pas tout à fait à fendre son épaisseur. Aussi une certaine fraîcheur s'y maintenait-elle. Saisie par le contraste, Susan frissonna.

— Tu as peur ? demanda Eliot.

La jeune fille le regarda avec stupéfaction. Ce garçon était peut-être observateur, mais là, il se trompait.

— Peur ? Tu veux rire ?

— Mais non... bredouilla-t-il. Excuse-moi, je ne voulais pas insinuer...

— Eliot, que les choses soient claires : je n'ai jamais peur. De rien.

— C'est cool, fit-il.

Susan l'observa encore un moment avec insistance, bien que déstabilisée de ne rencontrer que la surface réfléchissante de ses lunettes de ski. La regardait-il ? Et si c'était le cas, comment la regardait-il ? Elle n'avait que les quelques mots qu'ils échangeaient pour se faire une idée. Et c'était peu.

— Et toi ? lança-t-elle.

— Moi quoi ?

— Tu as peur ?

— Juste de déchirer ma combinaison avec toutes ces branches qui dépassent. Si je l'abîme, ma mère va me tuer...

Susan sourit à l'idée de la glaciale Helen se ruant sur son fils pour l'étrangler.

Ça ne doit pas rigoler tous les jours... pensa-t-elle.

Et en même temps, tout cela était un peu normal, Eliot avait une grave maladie.

— On continue ? proposa ce dernier.

— OK ! Et ne t'inquiète pas, on va tout faire pour t'éviter un drame familial.

Au fur et à mesure de leur avancée sur le chemin, l'humidité de la forêt emplissait l'air de son parfum ancestral, puisant toute son essence dans l'humus, les mousses, l'écorce des arbres, le doux chuchotis du ruisseau. Susan jouait les éclaireuses en prenant soin d'écarter les branches et les tiges de végétation qui dépassaient sur le chemin. Georgette et Eliot la suivaient de près, l'une frétillante et haletante, l'autre attentif et concentré. De temps à autre, Susan tâtait machinalement la figurine calée au fond de sa poche – en définitive, la meilleure cachette. Car curieusement, s'il y avait bien une chose qu'elle ne voulait pas, c'était que quelqu'un lui reprenne l'étrange objet.

Bientôt, un petit pont de pierre se dégagea à travers la végétation. Les deux ados et le carlin s'arrêtèrent.

— Ça mène où ? demanda Susan.

— Je n'en ai aucune idée, répondit Eliot. Je ne suis jamais venu jusque-là.

— Ah bon ?

Si elle avait habité ici, il y a belle lurette qu'elle aurait exploré cette incroyable forêt dans ses moindres recoins. Elle s'avança, prête à traverser.

— Susan ! l'interpella Eliot. C'est vraiment en mauvais état…

La jeune fille considéra les pierres cassées, celles qui manquaient sur le pont et celles qui tapissaient les abords du ruisseau, trois mètres plus bas. En face, la luminosité, presque surnaturelle, semblait émaner du sol lui-même. Captivée, Susan avança de plusieurs pas sur le pont, sautilla sur place pour tester sa solidité et adressa à Eliot un sourire encourageant.

— Tu vois, c'est super costaud, tu peux venir !

La silhouette en combinaison blanche s'approcha avec précaution et suivit Susan en évitant les pierres éparses. À leur passage, des fragments tombaient dans le ruisseau – plotch plotch – et Georgette poussait des petits jappements alertes.

Une fois de l'autre côté, le chemin disparaissait dans les entrailles de la forêt, plus ténébreuse, plus secrète. Une impression accentuée par le croassement de quelques corneilles qui volaient en cercle, plus haut, au-delà du sommet des arbres. Le bruissement cristallin du ruisseau fut vite étouffé par la densité de la végétation alors que les trois explorateurs s'enfonçaient dans la sombre verdure.

Susan marchait en tête, déterminée et précise comme une boussole, sans parvenir à définir d'où lui venait cette assurance. À l'inverse, Georgette manifestait une telle angoisse que Susan, doutant de son supposé instinct canin, dut la prendre dans ses bras avant qu'elle ne détale, au risque de se perdre dans ce fouillis. La chienne se pelotonna contre la jeune fille, fourrageant avec anxiété dans son cou. Susan pouvait sentir le petit cœur de l'animal battre à tout rompre sous ses doigts alors qu'elle pétrissait nerveusement ses bourrelets de chair.

— Il n'y a rien ici… fit remarquer Eliot.
— Si ! répliqua Susan sur un ton victorieux. Il y a *ça* !

D'un geste grandiloquent, elle montra un obscur enchevêtrement de branchages. Eliot ne cacha pas son scepticisme, pendant que Georgette tremblait dans les bras de Susan comme s'il faisait moins vingt degrés. Du bout du pied et de sa main libre, la jeune fille entreprit de débroussailler. De gros cailloux couverts de mousse affleurèrent, l'encourageant à poursuivre. Ce qu'elle fit avec une excitation qui la surprenait encore plus qu'elle n'étonnait Eliot. Bientôt, un amoncellement de vieilles pierres fut dégagé. Susan était en sueur. Elle posa Georgette par terre et se tourna vers Eliot.

— Tu as vu ça ? lança-t-elle en désignant le tas de pierres.

Le silence du garçon, bien qu'explicite, ne l'arrêta pas.

— C'est une ruine, Eliot ! s'exclama-t-elle.

S'il n'avait pas eu ses lunettes de ski, elle aurait pu constater qu'Eliot ne paraissait pas spécialement ému par cette information. Mais de son visage, elle ne voyait rien. Alors, elle continua.

— Il y avait une maison ! Des gens vivaient ici !

— C'est... incroyable... marmonna le garçon d'un ton morne.

Susan fit la grimace. Ses épaules s'affaissèrent. Comment Eliot pourrait-il comprendre ce qu'elle-même avait du mal à saisir ? Car son exaltation ne trouvait aucune explication. Ces pierres l'attiraient comme un aimant attire le fer et elle n'avait aucune idée de ce que cela pouvait signifier. Contrariée, elle attrapa Georgette et la cala sous son bras.

— Bon, il est l'heure de rentrer, non ?

105

Eliot acquiesça. Ils rebroussèrent chemin dans un silence gêné, sans voir les étranges ombres s'agitant autour des pierres que Georgette fixait avec terreur.

* * *

Depuis une des tours du manoir, Susan à ses côtés, Eliot contemplait le crépuscule qui engloutissait peu à peu le parc et le loch d'une brume mouvante. Ici, la nuit exhalait une drôle d'odeur, celle de la bruyère humide, de la végétation en décomposition et de la vase. Georgette jappait à leurs pieds en grattant à la fois le parquet et le bas de leur pantalon, brûlant d'envie qu'un des deux ados s'occupe d'elle. Susan finit par la prendre dans ses bras, ce qui lui valut quelques coups de langue passionnés – ainsi que quelques touffes de poils beiges sur la marinière.

— Du calme, Georgette ! s'exclama-t-elle en riant. Du calme !

Eliot lui jeta un coup d'œil troublé. Qu'est-ce qu'elle était jolie... Après la « promenade » dans la forêt, ils avaient tous les deux passé une bonne partie de l'après-midi à se déchaîner sur la console de jeux et Susan ne semblait plus aussi triste qu'au moment du déjeuner.

— Ça va ? demanda soudain le garçon, les mains enfoncées dans son sweat à capuche.

Susan pencha la tête sur le côté pour bloquer celle de Georgette dans son cou.

— Oui, très bien ! fit-elle. Et toi ?

Eliot marmonna quelque chose qui ressemblait à un acquiescement.

— Tu crois que tu te plairas ici ? poursuivit-il.

Susan réfléchit un instant. Quelques secondes pendant lesquelles Eliot se contracta, en proie à un doute insensé. Pourquoi Susan ne se plairait-elle pas au manoir ?

— Je suppose que oui, lâcha-t-elle en libérant Georgette sur le sol.

Eliot dut lutter pour ne rien montrer. Cette fille avait déjà un tel pouvoir sur lui. Il en était étourdi.

— Susan, je peux te demander quelque chose ?

— Dis toujours…

— Pourquoi tu as fait toutes ces choses aux gens qui t'accueillaient ?

Waouh ! Ça, c'est plutôt direct… se dit Susan.

— Ils n'avaient pas le bon parfum, répondit-elle.

Eliot fronça les sourcils.

— Tu veux dire… qu'ils ne sentaient pas bon ?

— Non. Je veux dire qu'ils n'avaient pas le bon parfum, c'est tout ! répéta Susan avec une certaine brutalité.

— Et c'est pour ça que tu as causé toutes ces… catastrophes ?

Cette fois, elle se tourna vers lui et le regarda avec une gravité sincère.

— Non ! C'est pour ça que je ne pouvais pas rester chez eux ! martela-t-elle entre ses dents.

Ne cherche pas, Eliot. Il n'y a rien à comprendre, c'est comme ça.

Le garçon montra son étonnement, mais devant le visage totalement fermé de Susan, il n'insista pas. Ils contemplèrent encore un moment le soleil qui se couchait derrière le bois. Peu à peu, Susan sembla lâcher le lest qui la plombait.

— Eliot, je peux te demander quelque chose ? fit-elle à son tour.

— Ben… oui…

— C'est quoi un lait de poule ?

Disant cela, elle lui adressa son sourire le plus craquant. Le résultat fut immédiat : Eliot sembla perdre tous ses moyens et préféra détourner les yeux.

— C'est du lait avec du sucre et un jaune d'œuf, expliqua-t-il.

— Ah, d'accord !

— Tu peux aussi ajouter des épices. Et de l'alcool.

— Euh, non merci ! rétorqua Susan en riant.

Avec un naturel contestable, Eliot se perdit dans la contemplation du parc, désormais plongé dans la pénombre. Quand Helen les appela tous les deux depuis le bas de l'escalier, il s'empressa d'obéir.

Qu'est-ce que je dois avoir l'air sérieux à ses yeux… se dit-il. *Un vrai rabat-joie.*

— Vous voulez un lait de poule, les enfants ?

Par pur réflexe, Eliot regarda Susan. Celle-ci faillit éclater de rire, alors que lui cachait difficilement son amusement.

— Oui, merci, m'man.

— Oui, merci, Helen, répéta Susan, respectueuse de ce qui devait être un véritable et fastidieux protocole.

Tout le monde sirota sa boisson du soir dans la quiétude du grand salon et hop, repli dans les chambres. Le rite était immuable comme les pierres grises du manoir, Eliot s'en rendait tout à fait compte. Et Susan s'y conformait avec aisance.

Heureusement.

8.

Au cœur de cette atmosphère paisible, on pouvait détecter le moindre bruit et l'interpréter selon son état d'esprit du moment. Ainsi, les craquements dans le parquet pouvaient-ils tour à tour passer pour les effets du temps sur la menuiserie ou pour la déambulation d'esprits frappeurs. En revanche, les grattements provenant de la figurine laissaient peu de place à d'autres théories que celles imposées par la réalité : quelque chose de vivant animait l'objet et cherchait à se libérer de son entrave.

Quand Susan prit la poupée de cuir dans ses mains, le mouvement intérieur s'amplifia. Des bosses en déformèrent la surface, gonflant de l'intérieur et bombant de façon irrégulière les membres et le corps. Susan pouvait sentir les nodules se déplacer sous ses doigts. Soudain, elle eut un violent mouvement de recul : les coutures qui obturaient la bouche venaient de se tendre.

Elles s'étirèrent, encore et encore, le cuir craqua légèrement.

Puis, tout s'évanouit d'un coup.

La figurine retrouva son inertie.

Comme si rien ne s'était passé.

* * *

— Eliot ! Eliot ! Ouvre-moi !

Le visage endormi du garçon apparut bientôt dans l'entrebâillement de la porte.

— Susan ? Mais qu'est-ce que t'as ?

— Laisse-moi entrer et je t'explique tout.

Eliot obtempéra et referma soigneusement la porte.

— Il y a un problème ?

Susan le regarda, tracassée.

— Oui. *Ça.*

Elle lui tendit la figurine de cuir.

— Qu'est-ce que c'est ? demanda Eliot en la tournant entre ses mains.

— Tu ne l'as jamais vue ?

Eliot fit « non » de la tête. Susan prit une longue inspiration.

— C'est une espèce de poupée.

— Une poupée ?

— Oui… Et il y a un truc à l'intérieur.

— Un truc ? Quel genre de truc ?

— Un truc vivant qui essaie de sortir.

Dubitatif, Eliot continua d'observer la figurine dont le cuir tanné luisait à la lumière de la lampe de chevet. Ce n'était rien qu'un objet. Un objet un peu étrange, d'accord, mais un simple et inoffensif objet.

— Tu l'as trouvée où ?

Susan ne put s'empêcher de lâcher un soupir agacé. Eliot était-il *toujours* comme ça ? Aussi réfléchi ? Aussi… terre à terre ? Où elle avait trouvé cette figurine ? Est-ce que c'était *vraiment* ça le plus important ?

— On s'en fiche où je l'ai trouvée, répondit-elle assez brutalement.

Eliot parut saisi par le ton de Susan, mais il ne broncha pas. Ce qui n'empêchait pas Susan de se sentir mal à l'aise.

Bravo, tu as fait fort sur ce coup-là… se rabroua-t-elle.

— Je veux dire… ce n'est pas ça le plus important… se reprit-elle.

Eliot détourna la tête et Susan se sentit penaude.

Mais qu'est-ce qui lui avait pris de sortir de sa chambre en pleine nuit et d'aller voler cette figurine ? Car elle l'avait bel et bien volée, inutile de chercher à prétendre le contraire. Il s'en fallait de peu que les larmes ne lui montent aux yeux.

On n'est qu'à la deuxième nuit et tu commences… Tu ne peux pas t'en empêcher… Continue comme ça et les Hopper vont battre le record des Lewis ! Tu n'es qu'une imbécile. Tu auras bien cherché ce qui va t'arriver.

Mais, soulagement inespéré, c'est l'objet du délit qui vint à sa rescousse. La gêne dans le regard d'Eliot se transforma subitement en stupéfaction : une boule venait de se former sous le cuir et se déplaçait d'un bout à l'autre de la figurine.

— Tu vois ! lança Susan, non sans un certain triomphalisme.

Cette manifestation exceptionnelle ferait peut-être oublier à Eliot tout le reste... Désormais effrayé, ce dernier lâcha l'objet.

— Regarde ! C'est complètement fou ! fit Susan dans un souffle.

La figurine tressautait sur le sol. Comme agitée par des convulsions, ses moignons de bras toujours collés sur les oreilles, on aurait dit qu'elle se débattait. Les nœuds intérieurs la tordaient, tendaient sa surface, semblaient la faire souffrir. *Réellement souffrir*. Les deux ados se penchèrent pour observer l'inquiétant phénomène.

— C'est flippant... murmura Susan.

— Je ne te le fais pas dire, acquiesça Eliot.

Quand Susan eut l'idée saugrenue de toucher l'objet du bout du pied, il se jeta littéralement sur sa chaussette et s'y accrocha. La jeune fille poussa un petit cri et plaqua aussitôt la main sur sa bouche. Elle secoua son pied avec vigueur, en vain. L'objet restait rivé comme une moule sur un rocher. Susan gémit.

Contre toute attente, c'est Eliot qui intervint. Il se saisit de la figurine, tira dessus de toutes ses forces et la balança contre le mur qu'elle heurta dans un bruit mat avant de retomber sur le sol, enfin inerte.

Susan et Eliot se regardèrent.

114

— Alors ça... bredouilla le garçon. On peut dire que c'est vraiment bizarre.

— Très très bizarre, renchérit Susan.

Ils restèrent silencieux un instant, les yeux fixés sur la figurine.

— Mais ça ne nous dit pas ce que c'est... reprit Susan. À ton avis ?

Eliot sembla réfléchir, examiner la situation, évaluer, hésiter. Puis il se précipita vers un placard d'où il extirpa une boîte à chaussures. Il l'ouvrit, versa tout le contenu sur son lit – des babioles –, et poussa la figurine à l'intérieur avec le couvercle en prenant bien soin de ne pas la toucher.

— Non, on n'a aucune idée de ce que c'est, lâcha-t-il enfin. Mais je connais quelqu'un qui pourra nous aider à y voir plus clair.

Il se tourna vers Susan.

— Viens !

* * *

Si Helen les avait surpris à traverser le parc en pleine nuit en direction de la petite maison gothique, nul doute qu'Eliot et Susan auraient passé un mauvais quart d'heure. Enfin... surtout Susan. Car il y avait peu de risques pour que la responsabilité d'Eliot soit engagée s'ils venaient à être découverts. Même si le garçon était à l'origine de cette opération nocturne, il paraissait évident que Susan, et seulement elle, serait désignée comme coupable.

C'est en tout cas ce qu'elle pensait. À tort puisqu'il s'avéra vite que, sous ses airs obéissants, le garçon était bien plus coutumier de ce genre de transgression qu'elle ne l'imaginait.

— Par ici... dit-il en se faufilant derrière des haies de buis. Personne ne peut nous voir depuis le manoir, à condition que Georgette ne nous trahisse pas... ajouta-t-il à l'adresse de la petite chienne qui haletait comme si elle venait de faire quatre fois le tour du parc.

Susan le suivit, jusqu'à ce qu'elle perçoive quelque chose de totalement incongru. Le parc aurait dû sentir la végétation, l'herbe humide de rosée, la terre, les plantes aromatiques ou les fleurs. Pourtant, ce n'était aucun de ces arômes qui envahissait ses narines et son cerveau.

C'était le parfum.

Le parfum perdu et retrouvé.

Helen se trouvait-elle là ? Certainement pas. Le parfum venait... de la forêt. Sans se demander une seule seconde comment une telle chose pouvait être possible, Susan dévia ses pas pour se diriger vers l'orée, aussi sombre et menaçante que les trous noirs qui avalaient toutes les étoiles se trouvant autour d'eux.

— Susan ! chuchota Eliot. Qu'est-ce que tu fais ?

Il faut que j'aille là-bas.

— Susan !

Ce fut seulement quand Eliot lui courut après et l'attrapa par le bras qu'elle sortit de sa torpeur. Il la regarda avec attention, curieux, inquiet.

— Ça va ? lui demanda-t-il enfin.

Non... pensa-t-elle.

— Oui, répondit-elle.

— Super ! Alors, allons-y.

Georgette jappa et, ventre à terre, cavala jusqu'à la maison de chasse gothique en tournant de temps à autre la tête pour vérifier que les deux ados la suivaient. Arrivée sur le seuil, elle se dressa sur ses deux pattes arrière et poussa un « wouaf » étouffé.

La porte s'ouvrit.

— Eliot et son irrésistible Georgette ! s'exclama l'hôte du lieu. Je vous attendais, le petit molosse et toi, mon petit-fils de l'espace ! Quatre jours sans vous et c'est le vide sidéral, le néant cosmique, le désert galacti...

Eliot l'interrompit :

— Salut grand-père, je te présente Susan. Elle habite chez nous en ce moment. Susan, voici Alfred, mon grand-père.

— Une invitée au manoir des Hopper ? s'étonna le vieil homme.

Susan retint un soupir.

Qu'est-ce qu'ils ont tous à me traiter d'invitée ? Ça va devenir vraiment énervant à force...

— Mes hommages de la nuit, chère miss Susan, fit Alfred en faisant une sorte de révérence.

— Bonjour, monsieur. Euh... bonsoir, dit Susan.

L'avait-on déjà appelée *miss* ? Dans une autre vie, peut-être... Le vieil homme et la jeune fille

117

s'observèrent en silence. Il était difficile de dire lequel des deux était le plus stupéfait. Alfred avait devant lui une étrange petite personne vêtue d'un pyjama en pilou trop court, aux cheveux décoiffés et au regard vairon d'une incroyable vitalité. Quant à Susan, elle considérait l'homme qui lui faisait face en se disant qu'il était sûrement l'être humain le plus excentrique qu'elle ait jamais rencontré. Elle avait bien conscience de sa propre impolitesse – on ne regardait pas les gens bouche bée, les yeux écarquillés comme des soucoupes, non, ça ne se faisait pas –, mais pouvait-elle vraiment contrôler une telle surprise ? L'homme avait une chevelure hirsute qui n'avait pas dû recevoir la visite d'un peigne depuis des siècles, un bouc désordonné, des mains et un visage abondamment constellés de taches brunes... Et sa tenue... Comment pouvait-on être vêtu de la sorte en pleine nuit ? En dehors des mariages et des jours de fête, bien sûr. Le moins que l'on puisse dire, c'est qu'Alfred respectait les traditions, ainsi qu'en témoignait son kilt vert et jaune. Il était d'une incroyable classe avec son gilet sans manches, sa cravate assortie au tartan et ses hautes chaussettes de laine écrue dont Georgette semblait complètement folle. Quelques touches personnelles agrémentaient cependant cette tenue dans le plus pur style écossais : d'innombrables colliers et breloques dont le poids semblait entraîner le haut de son corps vers le sol... Mais au-delà de cette distinction, c'était son regard qui impressionnait Susan. Un vrai regard de fou.

— Eh bien, eh bien, ne restez donc pas sur le palier, mes jeunes amis ! s'exclama Alfred en faisant des moulinets avec les mains.

Tiens, je n'avais pas vu qu'il portait aussi plusieurs montres ! se dit Susan.

— Entrez vite avant que Mme Parfaite ne s'aperçoive de votre présence en ce lieu hautement subversif.

— Grand-père, tu sais très bien pourquoi maman est comme ça… soupira Eliot.

Susan les regarda tour à tour, à la recherche d'une explication.

— Mon inflexible belle-fille estime que je suis un danger vivant, renchérit Alfred à l'intention de Susan. Et elle a raison ! Car vivant, oui, je le suis, et certainement plus qu'elle. Pour le reste, on peut supposer que tous ceux qui n'empruntent pas les voies étroites du conformisme « helenien » sont des dangers potentiels.

Susan ne savait pas quelle contenance adopter. Les histoires de famille n'étaient pas sa spécialité. Un peu gênée, elle choisit de se focaliser sur l'intérieur de la maison du vieux fou, une espèce de bric-à-brac incompréhensible qui semblait à la fois issu de greniers, laboratoires et autres cabinets scientifiques.

— Mais vous n'êtes certainement pas venus pour converser de mes divergences avec Mme Parfaite, fit le vieil homme.

— Non, confirma Eliot. On est venus te voir pour *ça*. C'est un truc incroyable.

Cela dit, il poussa le monceau d'objets qui occupait la table la plus proche et posa sa boîte en carton.

— Qu'est-ce donc, mon garçon ? demanda Alfred. Oh, ne me dis pas que tu as réussi à trouver des chaussures volantes pour ton ancêtre préféré ?

Susan se retenait de rire aux côtés d'Eliot, sérieux comme un pape.

— Grand-père, ce n'est pas drôle du tout.

— Oh, mais je le sais, mon petit spationaute ! Tu sais ce que l'existence de ces chaussures représente pour moi... Loin de moi l'envie d'en rire.

Il adressa un clin d'œil à Susan qui frémit de surprise avant de lui rendre spontanément la pareille.

— Allons, voyons de plus près cette mystérieuse chose.

À peine eut-il prononcé ces mots que la boîte se mit à remuer de long en large, de plus en plus violemment, jusqu'à renverser ce qui se trouvait à proximité. Soudain très nerveuse, Georgette aboya et mordilla le bas du pyjama d'Eliot pour le tirer en arrière.

— Oh, oh ! s'exclama Alfred en s'approchant avec précaution.

Et sans que les deux ados s'y attendent, il plongea sur la table et plaqua la boîte comme il l'aurait fait d'une balle sur un terrain de rugby.

— Je te tiens ! clama-t-il fièrement.

Eliot afficha une certaine consternation devant cet acte de bravoure. Il jeta un coup d'œil désolé à Susan.

— Grand-père, fais attention, s'il te plaît.

Devant l'air grave de son petit-fils, Alfred retrouva une attitude plus posée. Les deux ados s'approchèrent. La boîte ne bougeait plus. Le vieil homme souleva le couvercle. Tous les trois se penchèrent. La figurine de cuir reposait au fond de la boîte, inanimée comme sont supposés l'être tous les objets.

Dans un jappement rauque, Georgette se carapata à l'autre bout de la pièce pour trouver refuge sous un fauteuil. Alfred fronça ses sourcils touffus et se tourna vers Susan et Eliot. Toute lueur amusée avait déserté son regard.

— Tu parlais de truc incroyable, mon jeune garçon ? murmura-t-il.

Du bout du doigt, il poussa la figurine. Un son en jaillit. Alors que les deux jeunes gens reculaient d'un pas, Alfred insista.

À ses risques et périls.

9.

Le mouvement de la figurine décuplait de puissance entre les mains d'Alfred. Les efforts que le vieil homme devait fournir pour qu'elle ne lui échappe pas le faisaient respirer bruyamment. Plus abasourdi qu'inquiet, il poussa des jurons dans sa barbe. Plus loin, les yeux exorbités, Georgette lui faisait écho en rugissant.

— Grand-père, remets cette chose dans la boîte ! le conjura Eliot d'un ton alarmé. Susan, aide-moi !

Hypnotisée par la scène, la jeune fille tressaillit. Eliot brandissait la boîte à chaussures devant Alfred, dont les mains en coupe enserraient avec maintes difficultés l'étrange objet. Susan se saisit du couvercle et s'approcha.

— C'est bon ? demanda le vieil homme.

Les deux ados acquiescèrent nerveusement.

— À trois, on y va ! Un... deux... trois !

Il jeta la figurine dans la boîte que Susan referma aussitôt.

Puis le calme revint.

Susan avait eu une excellente idée en suggérant d'attacher la poupée. Cette dernière était maintenant exposée sur la table, les jambes et le cou ceints par de solides lanières. Par précaution et avec l'aide de ses deux visiteurs, Alfred avait également bloqué sa taille par des liens dont les nœuds coulants ne permettaient aucune échappatoire. Cela fait, il s'épongea le front.

— Eh bien, mes jeunes amis, je dois dire que je n'ai jamais rien vu de tel de toute ma longue et passionnante vie.

Devant eux, la figurine gigotait de temps à autre, le corps gonflé par les nodules qui la parcouraient. Des plaques tavelaient désormais le cuir de vilaines marques. Quant aux fils obturant ce qui apparaissait comme la bouche et les yeux, ils se tendaient, mais ne lâchaient pas.

— Il faut qu'on libère ce qui est enfermé à l'intérieur, non ? fit Susan, étonnée d'éprouver une certaine pitié à la pensée qu'un être vivant puisse être en train d'agoniser.

— En tout cas, si c'est un insecte, il doit être super puissant, renchérit Eliot.

— Ce n'est pas un insecte, murmura Susan.

Alfred la considéra avec gravité avant de fouiller dans le tiroir d'un grand établi. Il en sortit bientôt une minuscule paire de ciseaux.

— Voyons ce que tu caches...

* * *

124

Georgette à leurs pieds, les trois noctambules retenaient leur souffle. Alfred glissa le pouce et l'index entre les anneaux des ciseaux et vérifia le bon fonctionnement de l'outil. Susan jeta un coup d'œil à Eliot, encore plus pâle que d'habitude. Ce moment avait tout d'une aventure à la fois captivante et inquiétante. Et quoi de mieux pour sceller solidement les bases de la complicité qu'elle rêvait d'instaurer ? Dire que l'occasion lui était tombée toute cuite entre les mains ! Une véritable aubaine. Elle avait de la chance.

— Sommes-nous prêts ? fit Alfred en l'interrompant dans ses pensées.

— Oui, grand-père, marmotta Eliot.

— Oui, Alfred, l'imita Susan.

Quand le vieil homme approcha les lames de la figurine ligotée, cette dernière émit une sorte de gémissement impatient.

— Les yeux ou la bouche ? demanda Alfred.

— La bouche ! répondirent en chœur les deux ados.

— Alors, allons-y pour la bouche.

La couture était si serrée qu'il dut forcer pour introduire la première lame sous un des fils. Il jeta un regard enflammé à Eliot et à Susan.

Il a vraiment l'air marteau… pensa la jeune fille.

Enfin, lentement, avec une précision de chirurgien, il abaissa la deuxième lame.

Le fil finit par céder. Sous la pression qui la tendait, la couture tout entière lâcha. Le cuir se déchira, découvrant une bouche béante, ouverte sur un vide paraissant sans fond.

Puis explosa le cri.

Un cri trop monstrueux pour être humain ou animal.

D'instinct, ils reculèrent tous les trois, unis dans l'attente de ce qui allait forcément sortir de la figurine.

Mais rien ne vint. Nul insecte, nul ver, nul animal.

Rien, si ce n'était une volute d'un noir d'encre exhalant une sinistre odeur.

Cette odeur, Susan la reconnaissait. C'était la même qui avait failli la dissuader de fouiller dans les containers de l'entreprise d'équarrissage voisine du Home lors de son opération « Butte de l'Horreur »... Alfred aussi avait déjà rencontré une telle puanteur quand, jeune soldat, il était entré en libérateur dans les camps de concentration d'Europe de l'Est.

Pour Eliot, par contre, elle n'évoquait rien d'autre qu'une vieille poubelle oubliée qui agressait ses narines. Il se boucha le nez.

— Ça pue ! maugréa-t-il.

Ni Susan ni Alfred ne réagirent. Saisis, ils fixaient la volute dont les effluves semblaient se matérialiser au fur et à mesure qu'ils se diffusaient. Quand l'air de la pièce fut saturé, les trois noctambules et le carlin apeuré se figèrent d'horreur en sentant la putréfaction envahir leur nez, leur gorge, leurs poumons. Mais l'étrangeté de la situation ne s'arrêtait pas là : comme si elle s'était enfin vidée de ce qui la tourmentait, la figurine se racornit soudain, ses mains se décollèrent de la tête, ses bras retombèrent, son enveloppe crissa.

Elle ne fut bientôt plus qu'un amas de cuir fripé et noirci.

Une déflagration mouillée, évoquant un ballon qui se dégonfle, accompagna sa disparition et la dissolution de la volute putride. L'air se glaça, déposant du givre sur les cils des occupants de la pièce, bleuissant leurs lèvres, condensant l'air qu'ils expiraient.

C'est alors que Susan se mit à chanceler. Elle s'agrippa aux rebords de la table, avec autant de poigne qu'elle le put. Mais elle avait beau lutter, son corps cherchait à abandonner toute résistance, toute attache au sol, à la pièce encombrée, à la réalité. L'espace d'un instant, elle crut que la vie la quittait, tant le basculement était puissant. L'obscurité absorba son esprit, aveugla ses yeux, engourdit ses membres.

Elle tomba.

* * *

Les visages d'Alfred et d'Eliot apparurent soudain en gros plan, dans son champ de vision.

— Qu'est-ce... qu'il y a ? Qu'est-ce que vous avez à me regarder comme ça ?

127

— Tu es tombée par terre, les yeux grands ouverts, lui répondit Eliot. On a voulu vérifier que tu respirais encore…

Il s'interrompit, les sourcils froncés.

— Et ? l'encouragea Susan, toujours allongée sur le sol.

À l'évidence, Eliot hésitait.

— On a vu quelque chose d'inhabituel dans ton œil, intervint Alfred.

— D'inhabituel ? s'étonna Susan.

— Oui… C'était étrange. Ton œil s'est mis… à parler… intervint Eliot.

— À quoi ?

— À parler…

Susan les regarda l'un et l'autre, consternée.

— Je crois que ce gaz pourri vous a rendus dingues !

— L'œil avec la tache marron… s'empressa de poursuivre Eliot d'un ton heurté. Il s'est mis à bouger. Et je peux t'assurer que ce n'était pas un effet d'optique, un reflet de lumière ou quelque chose de ce genre. N'est-ce pas, grand-père ?

Alfred posa la main sur l'épaule du garçon.

— Ce n'est pas le moment… murmura-t-il.

— Mais si, c'est le moment ! s'exclama Susan en se redressant sur les coudes. Qu'est-ce que vous voulez dire exactement ?

Alfred plissa le front.

— Plus tard, miss Susan. Nous venons de vivre une expérience qui n'a rien de rationnel et, pour le moment, nous avons besoin de reprendre nos esprits. Chaque chose en son temps...

Georgette gémissait, le museau collé au sol, les quatre pattes écartées de chaque côté de son corps. Ses gros yeux larmoyants fixaient Susan qui revenait doucement à elle.

— Tout va bien, Georgette, tout va bien... ne put s'empêcher de murmurer la jeune fille.

Sa tête tournait un peu. Aidée par Alfred, elle se releva, encore étourdie, et s'assit sur la première chaise à sa portée. Eliot et son grand-père l'observèrent, la mine grave. Quand ils virent son regard se déporter du côté de l'entrée, ils se retournèrent. S'ils n'eurent pas le temps de voir l'ombre que Susan venait de surprendre, ils entendirent comme elle le bruit qui retentit, sourd comme celui de quelqu'un qui se cogne contre un mur.

— Qu'est-ce que c'est ? fit Alfred d'une voix forte. Il y a quelqu'un ?

Il se dirigea vers l'entrée d'un pas décidé et alluma la lumière.

— Ce doit être un renard ou un lièvre qui s'est aventuré trop près de la maison... conclut-il au bout de quelques secondes.

Puis il s'assena deux vigoureuses claques sur les joues.

— Eh bien, mes enfants, je ne serais pas contre une bonne tasse de thé ! s'exclama-t-il. Et vous ?

— Volontiers, grand-père, répondit Eliot.

— Volontiers, Alfred, fit en écho Susan.

Il s'éclipsa dans une pièce attenante et revint aussitôt, les anses de trois tasses accrochées à l'index d'une main et une énorme bouteille Thermos dans l'autre. Il l'ouvrit, en respira le contenu et parut estimer qu'il n'y avait aucun risque. Il remplit alors les tasses, ajoutant à la sienne une généreuse rasade d'un liquide doré puisé dans une flasque suspendue à son kilt. Il l'avala d'une traite alors qu'Eliot et Susan se retenaient de grimacer après avoir trempé les lèvres dans la leur.

— Cette figurine... fit Eliot en reposant sa tasse sur la table. C'était quoi, grand-père ?

Alfred remua la tête de bas en haut, les yeux plissés.

— Je n'en ai pas la moindre idée, reconnut-il après un long moment de réflexion.

Eliot parut contrarié.

— Je croyais que tu trouverais une explication logique... dit-il.

— C'est vrai que je suis un homme de sciences, rétorqua son grand-père. Il est concevable que le phénomène auquel nous venons d'assister ait une cause naturelle. L'intérieur de la figurine pourrait avoir sécrété un gaz...

— Tu veux dire que c'est la fermentation qui a provoqué tous ces mouvements ? demanda Eliot.

— À ce point-là ? Impossible !

— C'est peut-être une poupée vaudou... suggéra Susan. Ou bien une espèce de totem ensorcelé...

Alfred et Eliot la dévisagèrent avec gravité.

— Je me demande si tu n'as pas raison, miss Susan... concéda Alfred.

Susan ne l'aurait avoué pour rien au monde, mais, malgré ces circonstances plutôt bizarres, elle se sentait extrêmement fière d'être ainsi prise au sérieux. Même si c'était par un vieillard complètement fou comme Alfred Hopper...

— Maintenant, vous allez regagner vos chambres et dormir un peu, poursuivit Alfred. Nous y verrons sans doute plus clair demain. Oh, mais demain est déjà là ! fit-il en consultant les montres qu'il portait autour de son poignet. Fichtre, alors !

Susan sourit. À part ce vieil original en kilt, qui utilisait encore ce mot ?

— Tâchez de me rejoindre dans la journée. Nous ferons le point sur tout cela à tête reposée.

Il fixa Susan et Eliot d'un œil fiévreux.

— Et en attendant, motus et bouche cousue. Si Mme Parfaite venait à apprendre ce qui s'est passé cette nuit, je me retrouverais à l'hospice plus vite que mon ombre...

Susan ne dit rien, mais n'en pensait pas moins. Si Alfred risquait gros, il était évident qu'elle aussi.

Alfred à l'hospice, et moi de retour au Home... Hors de question !

Quant à Eliot, il la dévisageait curieusement. Très curieusement.

Je suis sûre qu'il est en train de faire le lien avec la fille du diable... ne put-elle s'empêcher d'imaginer en faisant une grimace irritée. *Maudit soit ce sale gosse qui a sorti ça devant lui !*

— On ne dira rien, affirma-t-elle d'une voix assurée.

— Rien du tout ! renchérit Eliot.

— Wouaf ! conclut Georgette.

10.

La lumière était si vive que Susan crut d'abord qu'on lui braquait une lampe-torche dans les yeux. Puis elle s'aperçut qu'elle se trouvait au milieu d'une pièce nue seulement éclairée par un rai de lumière d'une blancheur éclatante. Pourtant, elle se sentait aussi oppressée que si l'obscurité avait été totale.

Comment était-elle arrivée là ? Elle ne s'était pas sentie venir dans cet endroit. D'une seconde à l'autre, elle s'y trouvait, tout simplement. Rêvait-elle ?

— Mais oui, bien sûr ! Ça ne peut être que ça ! s'exclama-t-elle.

Sa voix se réverbéra à l'infini, comme si ses mots se propageaient loin, très loin au-delà de ce lieu. Un rêve... Malgré l'effet de la lumière l'obligeant à mettre la main en visière au-dessus de ses yeux et la fraîcheur qui lui donnait la chair de poule, elle était en train de faire un simple rêve.

— Oh, là, là, c'est pas *sez* nous, ici !

Susan se retourna brusquement. En voyant celle qui se trouvait à ses côtés, elle écarquilla les yeux et poussa un cri strident.

— Geor... Georgette ?

— *Vi*, c'est moi, *Zorzette* !

Imitant les personnages de bande dessinée, Susan se frotta les yeux, puis se pinça. Elle ne rêvait pas.

Elle ne rêvait pas !

— Tu... tu parles ?

— Ben *vi*, *ze* parle ! *Z'ai touzours* parlé !

Ceci dit, la petite chienne lui fit l'offrande de quelques frénétiques coups de langue sur les doigts de pied. Susan remarqua alors qu'elle portait le pyjama avec lequel elle s'était couchée. Elle soupira.

— Bien sûr... murmura-t-elle. Je me retrouve subitement dans un endroit inconnu, pieds nus, en pyjama, avec une chienne hyper-collante qui parle en zozotant et tout cela est absolument normal...

— *Ze* suis pas collante ! retentit la voix éraillée de Georgette. *Ze* suis affectueuse.

Susan la contempla un instant. Puis, sans pouvoir résister à son regard débordant d'attente, elle finit par se pencher pour la caresser.

— Oui, excuse-moi, Georgette.

Elle se releva et regarda autour d'elle.

— Bon... Et maintenant, on fait quoi ?

N'attendant pas de réponse, elle entreprit de fouiller la pièce. Elle était vide et obscure. Il n'y avait rien à voir, à entendre ou à sentir. Rien d'autre que cette double porte à moitié ouverte par laquelle passait le large faisceau lumineux. Susan avança prudemment, Georgette haletant à côté d'elle. Mais la porte paraissait s'éloigner au fur et à mesure qu'elle marchait vers elle.

— Il y a quelqu'un ? résonna tout à coup une voix.

— Eliot ? fit Susan.

— Susan ?

Les deux ados se retrouvèrent nez à nez, stupéfaits.

— Mais qu'est-ce que tu fais là ? s'étonna Susan.

— Je n'en sais rien du tout !

Alfred apparut à son tour dans la pièce.

— Grand-père ? Tu es là, toi aussi ?

Ce dernier regarda tout autour de lui, surpris.

— Très étonnant… marmonna-t-il en caressant sa moustache. Vraiment très étonnant… Une seule chose est sûre, c'est que nous avons fière allure tous les trois, en pyjama !

Susan ne put s'empêcher de sourire : en guise de pyjama, le vieux fou arborait une sorte de djellaba bleue brodée de fils d'argent, portée sur un caleçon long tire-bouchonné aux chevilles.

— Moi, *z'ai* pas de *pyzama*, mais *ze* suis là aussi !

— Oh, formidable, le petit molosse est des nôtres ! s'exclama Alfred.

La petite chienne s'affairait déjà dans les bras d'Eliot, toute son attention dirigée sur le cou de son jeune maître qu'elle suçotait sans retenue.

Soudain, tous les deux disparurent comme par enchantement, imités quelques secondes plus tard par Alfred.

Puis, à son tour, Susan fut expulsée de l'étrange endroit.

* * *

En ce deuxième jour chez les Hopper, Susan avait mis un point d'honneur à se lever à une heure plus raisonnable que la veille. Hors de question que ce soit Mme Pym qui vienne à nouveau la tirer du lit ! Le manoir était toujours aussi silencieux, si ce n'était la voix d'Helen que la jeune fille pouvait percevoir depuis le palier du premier étage. Debout dans le hall, la maîtresse de maison, téléphone portable à l'oreille, arrangeait un bouquet de fleurs de sa main libre tout en discutant.

— Oui, tout se passe bien, monsieur Craig...

Ah... M. Craig qui vient vérifier si je n'ai pas déjà fichu le bazar... se dit Susan. *Il ne perd pas de temps...*

— Non, Susan se montre très... comment dire... polie et bien élevée...

Ben oui ! Qu'est-ce qu'ils croient tous ? Que je suis un petit animal sauvage incontrôlable ?

— Elle observe, poursuivit Helen. Elle cherche ses marques... Oui, elle s'entend bien avec mon fils, pour le moment, tout va bien, je vous assure...

Pour le moment ? Oh, mais vous verrez, c'est un moment qui va durer !

— Bien entendu, monsieur Craig, vous pouvez compter sur nous... Au moindre problème... oui.

M. Craig, espèce de pourri... Pourquoi il devrait absolument y avoir un problème ?

La sonnette de la porte d'entrée retentit et Mme Pym apparut avec une telle rapidité qu'on aurait pu croire qu'elle n'attendait que ce signal pour jaillir.

— Qu'est-ce que c'est, madame Pym ? demanda Helen, une fois la conversation avec M. Craig terminée.

— Le facteur, madame.

Elle lui tendit une enveloppe.

— Ah, oui, parfait ! fit Helen. C'est l'extrait de naissance de Susan. Il ne manquait plus que ce document pour faire sa préinscription au collège.

Susan se raidit en haut des marches. Acte de naissance... collège... Elle n'eut pas le temps de réagir à ce que cette information impliquait : Eliot était là, à côté d'elle.

— Oh, la curieuse ! la taquina-t-il à mi-voix.

Malgré son trouble, elle lui sourit avec son air spécial oiseau-tombé-du-nid, l'index sur la bouche.

— Chut, c'est pour la bonne cause...

— Vous êtes là, les enfants ! s'exclama Helen en les apercevant depuis le hall. Venez, venez, nous allons prendre le petit déjeuner ensemble.

Susan et Eliot échangèrent le même regard plein de regret. Ils auraient tellement préféré discuter des événements de la nuit. Ils se hâtèrent de manger, en toute inutilité puisque Helen réquisitionna aussitôt Susan.

— J'ai besoin de toi pour remplir le formulaire destiné au collège !

Eliot haussa les épaules, résigné. Il faudrait attendre encore un peu...

* * *

Dès qu'elle le put, Susan le rejoignit dans sa chambre. Assis dans un canapé, les coudes sur les genoux, le garçon s'affairait sans conviction sur sa console.

— Oh ! s'exclama-t-il en posant sa manette. Ça y est ? Ma mère t'a enfin relâchée ?

La jeune fille esquissa une mimique d'approbation et le dévisagea, sérieuse.

— Eliot, qu'est-ce qu'Alfred et toi avez vu dans mon œil cette nuit ? J'ai bien remarqué qu'il ne voulait pas en parler, mais toi, tu peux me le dire !

Eliot inspira profondément, tout en se mordillant l'intérieur de la joue.

— Même si grand-père n'est pas tout à fait d'accord, moi je sais que ce n'était pas une hallucination provoquée par le gaz de la figurine, commença-t-il, l'air tracassé.

— Mais c'était quoi ? s'impatienta Susan.

— Des voix.

— Des voix ?

— Oui, des voix... qui venaient de ton œil. Elles étaient si réelles, on les entendait si nettement, c'est comme si on les *voyait*, Susan !

Susan laissa échapper un sifflement entre ses dents.

— On nage en plein délire ! Alfred et toi, vous êtes tous les deux bien déchirés !

— Tu ne crois pas qu'il existe des trucs qui nous échappent dans la vie ? rétorqua Eliot, piqué au vif.

— Tu veux dire, des trucs paranormaux ?

Eliot opina de la tête.

— Il y a une nuance entre croire et essayer de comprendre, répondit Susan. Là, ça me concerne, alors c'est juste un tout petit peu différent, tu vois... Ça... ça me fout les boules.

— C'est normal, concéda Eliot.

— Et ensuite, qu'est-ce qui s'est passé ?

— Les deux petites taches dorées que tu as au fond de ton œil droit se sont mises à bouger, comme des flammes.

Il s'interrompit. Il hésitait.

— T'as commencé, l'encouragea la jeune fille, il faut fi...

— On aurait dit des torches humaines, la coupa-t-il.

Cette évocation ébranla Susan. Forcément. Elle pensa immédiatement à ses parents. Le fait de n'avoir aucun souvenir – elle était si petite quand c'était arrivé – ne l'empêchait pas d'y songer, souvent, et de se représenter le drame.

— Nous avons entendu une voix de femme qui venait d'une des silhouettes, poursuivit Eliot à mi-voix.

— Elle disait quoi ? demanda Susan, très nerveuse.

— Elle hurlait : « Ne plus te voir, mon enfant, est mille fois plus douloureux que de mourir... Fais attention, ils t'observent, ils viendront te chercher, toi aussi. »

Susan l'écoutait, bouche bée. Eliot avait-il vu et entendu ce dont elle ne pouvait se souvenir ?

— Je sais, c'est vraiment dingue... fit Eliot.

— Qu'est-ce qui nous arrive ?

— Susan, tu n'es pas obligée de me répondre, mais qu'est-ce que tu sais de tes parents ?

— Rien de plus que ce que tu as entendu de la bouche de M. Craig. Je ne sais même pas à quoi ils ressemblaient. À trois ans, on ne peut pas se rappeler. La seule chose que j'ai, c'est un foulard bleu qui appartenait à ma mère et qui porte son parfum.

Eliot se redressa subitement.

— Attends, attends... Tu disais que les autres familles n'avaient pas le bon parfum, c'est pour ça que tu ne pouvais pas rester chez elles. Tu parlais du parfum de ton foulard ?

140

Contrairement à Eliot, très agité, Susan se révélait tétanisée par ce cheminement logique qui la démasquait. Le garçon s'exclama :

— Alors, ça veut dire que si tu es chez nous, c'est...

— Tu étais dans mon rêve, l'interrompit-elle. Ton grand-père aussi.

Eliot écarquilla les yeux.

— Mais... mais... bredouilla-t-il. Vous étiez tous les deux dans mon rêve également !

— On était dans une pièce vide... renchérit Susan.

— En pyjama...

— Pieds nus...

Quand la chienne se redressa sur ses deux pattes arrière pour gratter le jean d'Eliot, les deux ados se regardèrent enfin et s'écrièrent en chœur :

— Et Georgette zozotait !

* * *

Quand il fut établi qu'Alfred avait, lui aussi, fait un rêve en tous points identique, une grande question se posa : que s'était-il passé ?

— C'est la figurine ! C'est à cause d'elle !

Susan ne tenait pas en place. En revanche, Alfred paraissait plus soucieux. Comme Susan et Eliot, il semblait avoir mal dormi. Hirsutes la veille, ses cheveux avaient ce matin l'aspect d'une jungle tropicale, emmêlés, dressés dans tous les sens. Quant à ses yeux, leur vivacité ne pouvait masquer la rougeur fiévreuse qui les bordait.

— C'est certainement un gaz hallucinogène qui s'est échappé quand nous avons coupé les fils, expliqua-t-il.

Il fixa les deux ados avec sollicitude.

— Avez-vous eu des maux de tête ? des troubles visuels ? des nausées ?

Susan et Eliot se regardèrent et firent non de la tête.

— Et toi, grand-père ?

— Rien du tout.

— Un rêve ou une hallucination, ce n'est pas la même chose, non ? demanda Eliot.

— Non, ce n'est pas la même chose, bien que certaines hallucinations soient parfois liées au sommeil. Mais le plus troublant dans notre cas, que ce soit un rêve ou une hallucination, c'est que nous sommes plusieurs à avoir expérimenté exactement la même chose.

Il avala une gorgée de thé avant d'annoncer :

— Et ça, c'est absolument impossible.

Cette affirmation les plongea tous les trois – tous les quatre – dans une profonde réflexion.

— Si ce n'est ni un rêve ni une hallucination, peut-être qu'il s'agit d'une autre dimension ? suggéra Eliot au bout d'un moment. Une sorte de faille spatio-temporelle ?

Alfred écoutait d'un air attentif en se grattant la joue.

— C'est une possibilité à ne pas négliger, en effet.

À leurs côtés, Susan s'agita. Une minuscule flamme s'alluma au fond de son œil droit.

— Et si c'était une expérience de mort imminente ? finit-elle par lâcher.

Eliot grimaça, alors qu'Alfred la dévisageait avec un intérêt intrigué. Étonnamment réceptive, Georgette poussa un gémissement plaintif.

— Pourquoi dis-tu cela, miss Susan ?

Susan prit appui d'une jambe sur l'autre, mit les mains dans ses poches, les retira, les frotta, les remit dans ses poches.

— La lumière vive qui semble conduire quelque part, l'absence de bruit, la sensation de sérénité... Tous ceux qui ont vécu ce genre d'expérience parlent de ça.

Elle plongea ses yeux dans ceux d'Alfred.

— Est-ce que ça veut dire que pendant quelques instants nous sommes morts ?

11.

En s'endormant, Susan se sentait partagée entre deux sentiments opposés : l'appréhension qu'un autre rêve l'entraînât à nouveau vers quelque chose qui la dépassait et l'espoir d'obtenir des réponses à ses angoissantes questions. Aussi fut-ce avec une certaine agitation qu'elle retrouva le décor du précédent songe.

Rien n'avait changé. La lumière qui filtrait à travers les portes entrouvertes brillait du même éclat aveuglant. Le reste de la pièce était toujours aussi sombre et Susan éprouvait encore cette étrange sensation d'évoluer *réellement* au cœur de son propre rêve. Une impression renforcée par la main d'Eliot qui se posa soudain sur son épaule.

— Susan ?

— Eliot ! Ça a marché à nouveau !

Elle le détailla de la tête aux pieds.

— Tu t'es couché avec ta combinaison ?

— La lumière... expliqua-t-il. J'ai eu un mauvais pressentiment. Alors, je me suis dit que si on devait encore se trouver là, il fallait que je sois protégé.

Il baissa la tête et ajouta d'une voix plus grave :

— Je préfère ne pas prendre de risques tant qu'on ne sait pas ce qui nous arrive.

Susan fronça les sourcils.

— Mais… on n'est pas dans la réalité… Je ne crois pas que la lumière puisse te brûler.

— C'est *zuste* ! Dans la réalité, *ze* parle, mais personne m'entend !

— Georgette ! s'écria Eliot en s'agenouillant. Salut, ma petite grosse !

La chienne se précipita vers lui et lécha tout ce qui se trouvait à portée de sa langue.

— *Zorzette* aime son *zeune* maître !

— Ça, on ne peut pas dire le contraire ! commenta Susan, allègre.

Après ces retrouvailles enjouées avec le carlin un peu fou, elle regarda Eliot d'un air intrigué.

— Tu te rends compte qu'on est en train de vivre un truc de dingue ? Qu'est-ce qui se passe, à ton avis ?

— Là, tu me poses une colle, répondit Eliot. La dernière chose que je me rappelle, c'est que Georgette ronflait comme un ours. Je crois que je me suis endormi assez vite. Et toi ?

— Je me souviens que j'ai eu du mal à trouver le sommeil, j'ai fini par m'assoupir en écoutant la radio.

Une voix familière les interrompit.

— Il y a quelqu'un ?

146

— C'est grand-père ! fit Eliot.

Il se redressa, Georgette dans les bras. Le vieil homme apparut à son tour dans le rai de lumière vive.

— Les enfants ? Georgette ? s'étonna-t-il, les yeux écarquillés.

— Nous voilà à nouveau réunis tous les quatre ! s'exclama Eliot.

— C'est fichtrement stupéfiant ! fit Alfred. Et cela nous indique surtout deux choses importantes : la première, il ne s'agit pas d'une coïncidence, et la deuxième, nous ne sommes pas morts.

— Ça, c'est *souette* ! commenta Georgette.

Susan jeta un coup d'œil à Alfred. Cet homme utilisait vraiment de drôles de mots. Avec la chienne qui zozotait, tous deux formaient un sacré duo.

— Ce n'est pas non plus une hallucination, renchérit Eliot. On est tout simplement en train de rêver.

— Et nos rêves nous transportent au même endroit…

La conclusion de Susan plongea tout le monde dans un silence approbateur, quoique songeur.

— Qu'est-ce qu'on fait maintenant ? fit la jeune fille.

Eliot s'apprêtait à parler quand un mouvement sembla s'amorcer dans la lumière éclatante. Alfred poussa Susan dans l'ombre aux côtés d'Eliot.

— Chut, Georgette, pas un bruit… murmura ce dernier à l'oreille de la petite chienne.

— Vi, *ze* suis *saze* comme une *imaze*, fit-elle.

Les quatre aventuriers retinrent leur souffle et observèrent : le mouvement s'accentuait, se levant comme une onde lumineuse venue de l'intérieur. Ils s'attendaient à tout moment à voir surgir quelque chose, quelqu'un, et leur cœur cognait à tout rompre dans leur poitrine.

Mais rien ni personne n'émergea de la lumière.

Pour la simple et bonne raison que c'était la lumière même qui se mouvait. Vivante, ardente, extrême, elle ondulait et se tordait devant Susan et ses amis qui ne quittaient pas des yeux l'étrange manifestation.

— Grand-père, qu'est-ce qui se passe ? bredouilla Eliot.

Mais à peine Alfred eut-il ouvert la bouche qu'il disparut dans un claquement rappelant le bruit d'un verre se brisant sur du carrelage.

— Eliot… appela Susan d'une voix tremblante.

Elle était là, au milieu de la pièce obscure, enveloppée par la lumière bleutée.

— Viens, dit Eliot. Il faut qu'on aille voir.

Ils se dirigèrent avec précaution vers l'ouverture éblouissante. Sitôt la porte franchie, la lumière pâlit, comme aspirée par le sol, jusqu'à ne laisser subsister que quelques reflets sur les bouffées de brouillard flottant. Par ailleurs, la température avait beaucoup chuté, à tel point que quelques flocons de neige voltigeaient paresseusement.

— Qu'est-ce qu'on fabrique dans un cimetière ? lança Susan en réprimant un frisson.

Tout autour d'eux étaient éparpillées des tombes. Certaines, branlantes et érodées, semblaient ne plus avoir d'âge.

— *Ze* sais pas… zozota Georgette, tremblante de froid. Mais *ze* suis sûre d'une *zose*, c'est que *ze* me *zèle* les coussinets.

Le cimetière paraissait immense. Au-delà de la douzaine de pierres tombales regroupées au centre, des dizaines d'autres, plus petites et beaucoup plus anciennes, s'étalaient dans ce qui ressemblait à un vallon enneigé. Des arbres, nus et tordus, bordaient l'allée principale constituée par un simple chemin de pierres plates à moitié recouvertes de boue et d'herbes givrées. Plus loin, un caveau se dressait. Monumental, il écrasait les tombes de son ombre démesurée. Son style grandiloquent avec ses colonnades, ses bas-reliefs et ses statues, détonnait avec le dépouillement du lieu. Dans le contre-jour, Susan crut reconnaître en son sommet le blason qu'elle avait remarqué le jour de son arrivée à l'entrée du manoir : la branche épineuse d'un rosier enroulée autour d'un glaive.

— Susan, viens voir !

La jeune fille s'arracha à la contemplation fascinée du caveau devant lequel elle se tenait. Elle se retourna à grand-peine et s'arrêta, retenue par des bandes de brume rampant de l'intérieur du monument sous le portillon en fer forgé.

Elle ne pouvait voir l'expression du garçon derrière ses lunettes de ski, mais, à en juger par son mouvement précipité, elle comprit que quelque chose de grave se passait.

— Tes pieds, Susan…

La jeune fille baissa la tête et poussa un cri : la brume formait des mains – ou plutôt des griffes – entravant ses chevilles. Susan fut soudain tirée vers le caveau. En voulant résister, elle tomba à terre, lourdement. Les griffes brumeuses se resserrèrent et le corps de Susan se retrouva soumis à cette prise impalpable, traîné sur le chemin du cimetière sans que la jeune fille parvienne à s'accrocher à quoi que ce fût d'autre que des touffes d'herbe. Sa marinière remonta jusqu'au-dessus de son ventre, offrant la peau de son dos aux griffures des gravillons mélangés à la terre poudreuse.

Le caveau se rapprochait, sinistre et béant, prêt à l'engloutir.

Elle allait finir là, enterrée vivante.

Elle hurla. Moins de douleur que d'épouvante.

Quand Eliot l'attrapa par la main et la tira promptement vers lui, ses chevilles et son épaule craquèrent, elle se crut écartelée. Mais les bandes vaporeuses se rétractèrent très vite sous la grille du caveau, alors qu'elle sombrait dans le trou noir de l'inconscience.

* * *

— Susan ? Ça va ? Susan, réponds-moi !

La jeune fille ouvrit les yeux. Eliot était là, age-
nouillé à ses côtés. Elle se redressa et réajusta sa
marinière.

— C'était quoi, cette chose ? bredouilla le garçon.

Susan éprouvait la plus grande difficulté à
contenir ses tremblements. L'atmosphère glaciale
et humide du cimetière n'en était pas la cause :
elle avait eu très peur. Heureusement, tout cela
n'était qu'un rêve. Un rêve étrange et très réaliste,
mais un rêve avant tout. Et pourtant… elle lâcha
la main d'Eliot et souleva le bas de son jean,
dévoilant sa cheville qui s'ombrait de marques
rouges.

— Oh, c'est pas vrai ! s'alarma Eliot. T'as mal ?

— Non, ça va… répondit-elle en grimaçant.

— Pftttttt ! fit Georgette en postillonnant avec
abondance. C'est pas *zoli*, il faudra mettre du *zel*
à l'arnica.

— C'est un rêve, Georgette… ânonna Susan,
préoccupée. Il ne peut rien nous arriver…

Eliot sembla l'observer derrière ses lunettes de
ski.

— Tu es sûre que ça va ? Tu as l'air vraiment
secouée…

Susan se contenta de s'écarter du caveau.

— Qu'est-ce que tu voulais me montrer ? Il faut
qu'on se dépêche avant de se réveiller à notre tour.

Eliot l'entraîna vers les tombes les plus récentes, sur la partie élevée du cimetière. Des statues se dressaient ici et là, silhouettes drapées dans l'immobilité de la pierre, visages au regard triste. L'une d'entre elles, différente, fit frémir Susan : elle ne représentait pas un être humain, ni même un ange, mais la Mort elle-même sous l'apparence d'un squelette encapé, faux à la main.

— Regarde... fit Eliot. Regarde les noms...

Marbre brun, granit noir, roche grise... Quelle que soit leur matière, les sépultures étaient toutes gravées des nom et prénom, date de naissance et de mort de ceux dont elles scellaient le repos éternel. Susan passa de tombe en tombe en lisant les inscriptions à voix haute. Arrivée au centre du cimetière, là où les pierres mortuaires plus anciennes accusaient les dommages des siècles, elle s'accroupit devant la dernière – la onzième – et, du bout du doigt, gratta la mousse la recouvrant en partie. Un nom apparut, prévisible car identique à celui qui apparaissait sur les dix autres pierres.

Rosebury.

Elle le prononça plusieurs fois avant de se tourner vers Eliot. Mais, en un éclair, il disparut, happé par le réveil.

— *Zorzette* est toute *conzelée*, mais elle reste avec sa *zeune* maîtresse, c'est une *zentille sienne*, fit remarquer le petit animal en se collant contre Susan.

Susan la remercia d'une caresse et la prit dans ses bras. À l'évidence, Georgette ne lui serait d'aucun secours en cas de danger, mais sa présence se révélait pourtant un réconfort étonnant. Elle se sentait si seule, ici. Et il faisait si froid. Ça lui rappelait les pires moments de sa vie, ceux dont elle souhaitait le moins se souvenir.

— Je voudrais me réveiller… murmura-t-elle.

Un souhait en complète opposition avec l'engourdissement qui commençait à alourdir ses membres, à épaissir ses perceptions. Sa volonté s'effilochait au fur et à mesure que son corps cédait à la fatigue. Elle se laissa glisser le long d'une pierre tombale un peu ébréchée et attendit, de moins en moins consciente de l'anormalité de la situation.

* * *

Elle aurait aimé constater que la lumière qui jaillit subitement était un rayon de soleil filtrant à travers les rideaux de sa chambre. Ce n'était pas le cas. Elle se trouvait toujours dans le cimetière, enfermée dans son propre rêve. Georgette s'agita entre ses bras : la lumière s'avançait vers la tombe contre laquelle Susan était adossée. La jeune fille se décala, effrayée de ne pouvoir comprendre pourquoi le faisceau glissait dans sa direction, tel un serpent, silencieux et redoutable.

— *Z'ai* peur et *z'ai* très froid… gémit la petite chienne. *Ze* veux partir !

Susan la serra contre elle tout en reculant, à moitié recroquevillée sur le sol.

— Laissez-moi tranquille... bredouilla-t-elle. Laissez-moi me réveiller...

Comme si elle obéissait, la lumière se figea un instant avant de se remettre en mouvement. Semblant vouloir absorber l'obscurité, elle se dilata jusqu'à atteindre les pieds de Susan qui ne pouvait reculer davantage, bloquée par le caveau. Puis elle s'étira encore pour gagner ses genoux, ses cuisses, son buste. Défiant les lois de la physique, elle n'éclairait que la jeune fille, laissant dans l'ombre brumeuse le reste du cimetière qui, en toute logique, aurait dû se trouver illuminé par le vif éclat.

Quand Georgette s'évapora littéralement entre ses bras, Susan paniqua. Elle était seule et la lumière l'enveloppait presque tout entière. Elle ne lui faisait aucun mal – ce n'était que de la lumière. Or Susan était envahie d'une peur terrible et irrationnelle. Mais qu'est-ce qui était rationnel dans cette situation ? De même qu'elle avait coutume de retenir sa respiration pour ne pas qu'on l'entende, elle ferma les yeux à s'en faire mal aux paupières pour ne pas qu'on la voie.

* * *

Bon, t'as pas l'air morte, c'est déjà ça... Reste à savoir où tu es, maintenant...

Il lui semblait se trouver dans un lit.

Sainte Vierge, Mère de Dieu toute-puissante, faites que je sois chez les Hopper, s'il vous plaît...

Une petite langue râpeuse, accompagnée d'un halètement, lui chatouilla la main. Susan ouvrit aussitôt les yeux.

— La petite grosse ! s'exclama-t-elle, d'autant plus soulagée de constater qu'elle avait retrouvé sa chambre. Tu ne peux pas savoir combien ça me fait plaisir de te revoir !

Fringante, Georgette émergea de la couette où elle était enfouie. Elle avait tout à fait l'air d'apprécier ces retrouvailles, elle aussi.

Au moment où elle se redressa, Susan poussa un gémissement et se contorsionna pour porter une main à son dos. Le contact avec sa peau provoqua une nouvelle plainte. Elle se raidit, alors que sa respiration s'accélérait subitement.

— Non... murmura-t-elle. Non, non, non...

Elle était revenue *physiquement* meurtrie de ce rêve.

Ce qui était *absolument* impossible : on ne pouvait pas se faire mal en rêvant.

Elle avait l'esprit plutôt ouvert, mais tout cela dépassait ce qu'elle était capable de comprendre et d'admettre.

Elle se mit à trembler. La petite chienne redoubla de sollicitude et fourra sa truffe plissée contre la hanche de Susan.

— Susan ? résonna la voix étouffée d'Eliot derrière la porte. T'es là ? Ouvre-moi !

— Entre ! lui cria Susan depuis son lit où elle se tenait recroquevillée, les genoux ramenés sous son menton.

— Ah, quand même ! Je commençais à me faire du souci ! fit-il en refermant soigneusement derrière lui.

— Je... je viens juste de revenir... précisa Susan.

Ils se dévisagèrent mutuellement d'un air grave.

— Ça fait bizarre de dire ça alors que je n'ai pas bougé d'ici...

— Très très bizarre... confirma le garçon.

Il s'assit sur le lit, dans la même position qu'elle, et la regarda longuement. Elle n'osait plus bouger, de peur de raviver la douleur de son dos. Elle prit le risque, pourtant, de se redresser. Quand il la vit grimacer, Eliot s'inquiéta :

— Ça ne va pas ?

Elle hésita un instant, puis elle lui tourna le dos.

Sa marinière était tachée non seulement de terre, mais aussi de sang.

— Oh, non ! laissa-t-il échapper d'un ton catastrophé.

— À ce point ? renchérit Susan. Tu crois que je suis bonne pour une greffe de peau ? ajouta-t-elle, un peu ironique.

Eliot bondit sur ses pieds.

— Je vais te soigner !

Susan se renfrogna.

— Euh... non, pas la peine, ça ne doit pas être si grave...

— Il faut désinfecter au moins !

Il sortit de la chambre et réapparut quelques instants plus tard, un flacon et une dizaine de compresses à la main.

— Tiens, Georgette va être contente ! s'exclama-t-il en sortant de sa poche un tube de gel à l'arnica qu'il tendit à Susan. Après tout, c'est elle qui a fait la suggestion… Tu peux en mettre sur tes chevilles. Moi, je vais m'occuper de ton dos.

— Je t'assure, ça va aller… objecta Susan.

— Tu n'arriveras pas à me dissuader, tu sais… Allez, montre-moi ça.

Susan remonta prudemment sa marinière. Bien sûr, ce serait plus pratique pour Eliot si elle avait consenti à l'enlever, elle en était bien consciente. De son côté, le garçon faillit le lui faire remarquer, mais il n'insista pas, se contentant de relever davantage l'étoffe avec délicatesse.

— Oh, t'as bien morflé, dis donc… murmura-t-il. Cette histoire devient vraiment flippante…

Susan ne dit rien. Elle sentait sur sa peau le souffle tiède d'Eliot et la pression de ses doigts au fur et à mesure qu'il nettoyait les écorchures provoquées par les cailloux du cimetière. De son côté, Eliot s'appliquait, en dépit du trouble qui l'ébranlait. Il pensa prendre Susan dans ses bras pour lui faire oublier sa douleur, ou lui masser tendrement les épaules pour la soulager. Le laisserait-elle faire ? Rien n'était moins sûr. Aussi, devant le risque trop grand de se couvrir de honte, il abdiqua. À grand regret.

Susan, elle, serrait les dents – elle avait vraiment mal ! –, mais, de temps à autre, elle ne pouvait s'empêcher de lâcher un « aïe » qui ne manquait pas d'alarmer son soigneur. Alors, il décida d'appliquer la même méthode que celle qu'employait le personnel médical lorsque, enfant, il subissait des examens un peu éprouvants.

— Au fait, tu ne m'as pas dit si tu avais vu ? fit-il en tamponnant de désinfectant la plus grosse égratignure.

— Vu quoi ?

— Eh bien, le nom ! Sur les tombes !

Susan inspira à fond, soudain songeuse, pendant qu'Eliot se félicitait intérieurement d'avoir dévié l'attention de la jeune fille.

— Rosebury…

— Ça t'évoque quelque chose ?

— Rien du tout, répondit-elle après un instant de réflexion.

Eliot soupira et, avec une sorte de tic nerveux, fit un mouvement de tête supposé remettre en place sa mèche, néanmoins parfaite.

— Je ne comprends vraiment rien à ce qui est en train de se passer.

— Ça doit pourtant bien avoir un sens !

— Grand-père dit souvent ça, lui aussi. Pour lui, tout s'explique toujours.

— Et toi, qu'est-ce que tu en penses ?

Malgré son trouble d'être sollicité de cette façon par cette fille tellement craquante, Eliot parvint à répondre :

— Je pense que rien n'arrive jamais par hasard.

Il rabaissa la marinière de Susan : sa mission d'infirmier était terminée. Susan se tourna et plongea ses yeux singuliers dans ceux du garçon.

— C'est déjà bizarre de se retrouver tous les quatre dans un rêve, fit-elle. Mais en plus, on voit et on entend les mêmes choses…

— Tu oublies qu'on peut être agressé, aussi, ajouta Eliot. Peut-être même qu'on peut mourir. Et ça, ça fait carrément baliser.

Susan inspira profondément, le front plissé.

— Et si on essayait de découvrir qui sont ces fameux Rosebury ? suggéra-t-elle. Ça peut être un bon point de départ, non ?

— Excellente idée…

— Vous avez Internet ici ?

Eliot afficha un rictus amusé.

— Tu ne t'es pas encore aperçue qu'on ne manquait de rien chez les Hopper ?

12.

Susan ne pouvait pas reconnaître ouvertement qu'elle n'avait jamais eu l'occasion d'utiliser un équipement aussi performant. Elle en faisait une question d'honneur ! Mais elle était vraiment impressionnée par l'ordinateur, incroyablement grand et plat, et par sa vitesse de connexion. Rien à voir avec les espèces de machines préhistoriques du Home, ces mastodontes de plastique gris qui dégageaient une chaleur à mourir et mettaient des heures à cracher un malheureux résultat... Afin de ne pas laisser transparaître son émerveillement, elle suivait en silence les recherches d'Eliot en les ponctuant de temps à autre d'un commentaire, comme si tout cela lui était parfaitement familier.

— Les Rosebury ? Une vieille famille de l'aristocratie écossaise ? Ça pourrait être un début de piste, non ?

— Mmm... acquiesça Eliot. Regarde, c'est noté qu'ils possédaient un immense domaine dans la région jusqu'en 1698.

— Et ensuite ?

— Apparemment, le domaine a été morcelé et vendu.

— Et ça, c'est quoi ? demanda Susan en pointant le doigt sur un des résultats proposés par le moteur de recherche.

Eliot cliqua sur le lien. L'article d'une revue locale, daté de 1925, s'afficha, dévoilant la photo en noir et blanc d'un homme vêtu d'un uniforme militaire, l'expression sévère, les joues couvertes d'épais favoris. Le portrait était accompagné d'un texte que Susan entreprit de lire à haute voix :

Le colonel Edmund Rosebury, descendant direct de la lignée écossaise des Rosebury, sera inhumé le 15 décembre dans le cimetière de Cornwish avec sa femme, Jane Sharpe, née Lester, tragiquement décédée à ses côtés le 12 décembre. Les regrettés époux laissent derrière eux un orphelin de cinq ans, Herbert, miraculeusement indemne après le drame qui a touché cette famille très estimée par notre communauté.

La voix de Susan faiblit à la fin de cette courte lecture. Elle détourna la tête en sentant l'attention particulière d'Eliot.

Ben oui, comme moi... Et alors ? Pas la peine de me regarder avec cet air de pitié !

Il n'y avait rien qui l'exaspérait davantage que d'inspirer ce sentiment écœurant. *Comment disaient*

les Brown, ex-famille d'accueil – à moins que ce ne fût les Bart ? Il vaut mieux faire envie que pitié.
Qu'Eliot puisse avoir de la compassion, ou simplement de la tristesse, lui échappait tout à fait.

— Eh bien, en voilà une coïncidence... marmonna-t-elle en manipulant la souris sans ménagement.

— En tout cas, les deux infos se croisent, c'est plutôt bien, non ?

Susan se rapprocha nonchalamment du garçon.

— Je suis sûre qu'on est sur la bonne voie, approuva-t-elle.

— Je peux vérifier quelque chose ?

Tout en parlant, Eliot posa sa main sur celle de Susan pour reprendre en douceur la souris. La jeune fille retira sa main, avec le moins de brusquerie possible. Eliot cliqua ici et là, et annonça :

— Ah, zut !

— Quoi ?

— Regarde, le nom Rosebury apparaît dans différents articles de journaux. Mais les archives en ligne sont payantes...

Il se gratta la tête.

— ... et ma mère n'acceptera jamais de me prêter sa carte bleue...

Susan faillit lui proposer de l'utiliser à son insu.

Non mais ça va pas la tête ! T'es une grande malade de penser des trucs pareils, Susan...

— Par contre, je suis sûr que grand-père se fera une joie de nous aider ! fit Eliot en sortant de sa poche un téléphone portable.

— Tu… tu vas l'appeler ?

— Ben oui ! À moins que tu ne connaisses un moyen plus rapide… répondit Eliot avec un petit sourire.

Susan le regarda faire et assista à la conversation grâce à la fonction haut-parleur qu'il activa à son intention.

— Bien sûr, mon cosmonaute préféré ! grésilla la voix d'Alfred après que le jeune homme lui eut expliqué la raison de son appel. Prends ton plus beau stylo et note…

Il lui énonça le numéro de sa carte devant la mine éberluée de Susan.

— Et n'oubliez pas de me tenir au courant !

— Promis !

Eliot raccrocha juste au moment où Helen faisait son entrée dans la pièce. Elle haussa les sourcils, ce qui, en communication *hopperienne*, semblait signifier qu'une explication devait être fournie.

— Super ! s'exclama Eliot. Dan m'a filé les codes pour débloquer un niveau !

À ces mots, les sourcils d'Helen formèrent un accent circonflexe quasiment parfait.

— Pour mon jeu ! précisa-t-il.

Les sourcils d'Helen retrouvèrent un aspect plus conventionnel.

— Ah, très bien, dit-elle. Il m'avait semblé reconnaître la voix de ton grand-père…

— Mais il habite ici, m'man !

Si Eliot avait l'air amusé, Helen, elle, paraissait beaucoup plus contrariée.

— Quand j'ai quelque chose à te demander, je ne te téléphone pas, je vais te voir. Eh bien, pour grand-père, c'est pareil.

Helen avait maintenant l'attitude d'une statue irritée.

— Arrête de t'inquiéter… murmura Eliot.

— Je tiens seulement à ta sécurité et à ton bien-être, Eliot, et ce sont des notions qui échappent totalement à ton grand-père.

Oh là, il a dû se passer quelque chose de grave avec le vieux détraqué… se dit Susan.

— Bien, puisque je n'ai aucune raison de m'inquiéter…

Elle se tourna subitement vers la jeune fille.

— Nous devons faire le point sur ta garde-robe, Susan. Et dans les jours qui viennent, il nous faudra organiser une séance de shopping.

Garde-robe ? Shopping ? Au secours ! J'ai autre chose à faire, moi !

— Je te la rends très vite, Eliot ! fit Helen d'un ton léger en s'éloignant dans le couloir.

Susan jeta un coup d'œil résigné à Eliot et suivit Helen à contrecœur.

* * *

Trier les vêtements de Susan semblait très important pour Helen.

Pourquoi ? Il n'y a pas urgence à ce point !

Était-ce la vision de son jean troué au genou ? Ou bien de sa marinière boulochée ? C'est vrai que la comparaison avec les Hopper ne jouait pas en sa faveur. Entre Helen et James, tirés à quatre épingles à toute heure de la journée et en toutes circonstances, et Eliot, exemple type de l'ado branché, elle avait l'air un peu décalée. Et pourtant, elle s'en fichait comme de son premier bavoir. Si elle se pliait à l'invitation d'Helen, c'était uniquement pour lui faire plaisir. Elle se voyait mal rétorquer : *Non merci, j'ai autre chose à faire !*

Et c'est ainsi qu'après cette nuit si étrange, elle se retrouva aux côtés de cette femme au parfum toujours enivrant à faire l'inventaire de ses affaires dans un silence entrecoupé de commentaires pratiques.

— Nous devrons te racheter des chaussettes… Nous prévoirons quelques jeans, également… Ceux-là sont usés jusqu'à la corde.

Au fur et à mesure, Helen constituait des piles de ce qu'il fallait jeter et de ce qui pouvait encore être porté. Susan la regardait faire, les bras ballants, muette.

— Tu aimes bien les rayures, on dirait ! fit soudain Helen en extirpant d'autres habits de la commode.

Pour rien au monde, Susan n'aurait voulu ce qui arriva à partir de ce moment. Ses marinières étaient en aussi mauvais état que le reste de ses affaires, Helen allait vouloir s'en débarrasser, c'était sûr. Certes pour les remplacer, mais comment supporter cela ?

En les lui arrachant des mains, Susan avait bien conscience de sa brutalité. Elle la regrettait, sans toutefois pouvoir faire autrement.

— Susan ? murmura Helen.

Désappointée, elle ne quittait pas des yeux la jeune fille qui plaquait farouchement sa pile de vêtements contre elle. Susan ressemblait à un animal traqué. Elle voulut parler, mais qu'aurait-elle pu dire ? Que ces marinières n'appartenaient qu'à elle et que personne n'avait le droit d'y toucher ? Qu'elles représentaient une seconde peau, réconfortante, indispensable ? Helen Hopper aurait peut-être compris tout cela. Peut-être. Mais peut-être pas. Elle paraissait si froide. Si pragmatique.

— Je... je ne vais pas les jeter, Susan... finit-elle pourtant par lâcher d'une voix étouffée, la main posée sur la gorge.

À ces mots, Susan eut l'impression que ses jambes devenaient molles. Sa respiration se fit anormalement heurtée, alors que ses doigts se crispaient sur les marinières. Helen s'assit au bord du lit, l'air soudain épuisé, et observa le petit visage fermé de Susan. La jeune fille garda les yeux baissés, il se passait trop de choses en elle.

Quand Helen se releva, elle tressaillit.

— Bon... Eh bien, voilà une bonne chose de faite ! fit la maîtresse de maison.

Elle tapota les deux piles d'habits, comme si rien ne s'était passé, et prit celle « à jeter » dans les bras.

— Je te laisse t'organiser avec le reste ? D'accord, Susan ?

Susan opina de la tête.

— À tout à l'heure.

— Mmm... réussit à dire Susan.

Le visage à nouveau impassible, Helen tourna les talons et sortit. Son parfum laissa quelques effluves que la jeune fille ne put s'empêcher de humer à pleins poumons.

Tu l'as trop mal joué, sur ce coup... se réprimanda-t-elle. *Contrôle de soi, Susan, con-trô-le de soi ! Sinon, c'est retour à la case départ...*

Elle se jeta sur son lit et, bras et jambes en X, elle respira longuement.

Maintenant, tu te calmes et tu fais gaffe.

* * *

— Cool, c'est enfin fini !

Eliot était toujours devant son ordinateur et paraissait très impatient de revoir Susan.

— Oui, c'est fini, répondit-elle sobrement.

— Ma mère est comme ça, poursuivit le garçon. Quand elle a décidé quelque chose, t'as pas le choix. Il faudra t'habituer...

168

Oh, je m'habituerai, t'inquiète…

— Dis donc, esquiva Susan avec un sourire complice, bravo pour le coup du copain qui te refile un code pour ton jeu ! Je ne savais pas que t'étais un surdoué du mensonge !

Les yeux d'Eliot s'illuminèrent comme si elle venait de lui faire le plus beau des compliments.

— On survit comme on peut, fit-il. Et puis il y a des tas d'autres choses sur moi que tu ne sais pas encore…

Il parut avoir les plus grandes difficultés à détacher son regard de Susan. Ce fut elle qui l'y aida.

— Bon, on n'avait pas une enquête à faire ?

— Si, au boulot !

En deux heures, ils parcoururent des pages et des pages d'archives régionales. Et le résultat de leurs découvertes avait de quoi stupéfier.

Edmund Rosebury n'était pas le seul Rosebury à être mort dans des circonstances tragiques.

Il n'était pas non plus le seul Rosebury à avoir entraîné sa femme dans son trépas et à avoir laissé un enfant orphelin.

Ni à être mort un 12 décembre.

Sur un peu plus d'un siècle, on pouvait remplacer Edmund par quatre autres prénoms sans que cela fasse une quelconque différence, si ce n'était l'année de la disparition.

Clarence, Lester, Edmund, Herbert, Rupert.

Tous des Rosebury, de jeunes pères morts avec leur femme suite à de violents accidents, un 12 décembre.

— C'est terrible… murmura Susan.

Eliot clôtura la session.

— À ce niveau-là, ça ne peut plus être une coïncidence, dit-il. Cette famille Rosebury a attiré sur elle une véritable malédiction, Susan…

13.

Susan regarda l'écran éteint dans lequel se reflétaient son visage et celui d'Eliot, légèrement déformés. Rosebury... Malédiction...

— Mais quel rapport avec... nous ?

— Peut-être pas avec nous, Susan, mais avec cet endroit. Une histoire de fantômes dans un manoir écossais, ça n'aurait rien d'exceptionnel !

La jeune fille ne voyait pas tout à fait les choses sous cet angle. Manoir écossais ou non, la présence éventuelle de fantômes lui paraissait, au contraire, plutôt ahurissante.

— Ça fait combien de temps que ta famille habite ici ? demanda-t-elle.

— D'après ce que je sais, c'est le père d'Alfred qui a acheté le domaine juste après la Seconde Guerre mondiale.

— Et les anciens propriétaires ne s'appelaient pas Rosebury, par hasard ?

— Je ne crois pas... répondit Eliot tout en réfléchissant. Je ne sais pas si tu as remarqué, mais, dans le couloir du premier étage, il y a le portrait d'un homme devant le manoir, son nom est Taylor, Clifford Taylor. Il date de la fin du XIXe siècle.

— Comment on peut faire pour en savoir plus sur l'histoire de cet endroit ?

Eliot joua un instant avec les cordons de la capuche de son sweat-shirt, concentré sur ses pensées.

— J'ai bien une idée, mais ça va être chaud avec ma mère...

— Est-ce que c'est illégal ? ou dangereux ?

Le garçon rit franchement.

— Ni l'un ni l'autre ! répondit-il.

— Alors, on n'est pas obligés de lui dire toute la vérité...

Elle glissa vers lui son coup d'œil Loi-du-silence.

— C'est un peu comme ça que je voyais les choses, acquiesça-t-il. Viens !

* * *

Ils longèrent le couloir du rez-de-chaussée jusqu'à une pièce que Susan n'avait pas encore visitée.

Vêtue d'une longue blouse maculée de taches, les cheveux sévèrement coiffés en queue-de-cheval, Helen appliquait un épais vernis sur une commode brinquebalante à l'aide d'un pinceau.

— M'man, on va faire un tour à Thornshill, on prend les vélos.

Helen se retourna, contrariée.

Hum... C'est pas gagné...

— Il ne fait pas très beau, Eliot, objecta-t-elle.

— Il ne fait pas *souvent* très beau en Écosse...

— Et s'il pleut ?

— Cape imperméable dans la sacoche avec tout le nécessaire de survie...

— Et si tu tombes ?

Index tendu, Eliot montra Susan et brandit son téléphone.

— Thornshill est seulement à quatre kilomètres, m'man... Il n'arrivera rien.

Helen pinça les lèvres et sembla réfléchir aussi sérieusement que si Eliot lui avait demandé de faire un trek au Népal.

— Vous êtes de retour pour le dîner, lâcha-t-elle enfin avec un soupir.

— Pas de problème ! confirma Eliot. À tout à l'heure.

— À tout à l'heure, répéta Susan.

Les deux ados firent volte-face et s'éloignèrent.

— Et faites attention ! résonna la voix d'Helen.

— Oui, m'man !

— Oui, Helen...

* * *

Susan n'avait pas fait de vélo depuis longtemps. Très exactement depuis son séjour chez les Brown, presque trois ans plus tôt. Ah, il y avait bien eu cette sortie VTT où elle avait joué les casse-cou. Contrairement à elle, le VTT ne s'en était pas sorti indemne.

— T'as vu ? Je n'ai même pas eu à mentir ! lui fit remarquer Eliot.

— Trop fort... le félicita Susan d'un air distrait.

Toute son attention se concentrait sur la route, loin d'être en excellent état, et sur son vélo, trop grand. Ses mollets tiraient et ses poumons semblaient prendre feu, mais elle faisait son possible, à la fois pour avancer et pour ne rien laisser paraître de ses difficultés.

Ne jamais perdre la face.

Devant elle, intégralement enveloppé de sa combinaison blanche, Eliot ouvrait la voie. Ils atteignirent bientôt les faubourgs de Thornshill – finalement, ce n'était pas aussi loin que Susan l'avait redouté. La petite ville s'avérait plaisante, avec ses maisons coquettes couvertes de chèvrefeuille, ses jardinets fleuris, ses rues pavées.

— La bibliothèque municipale ! annonça simplement Eliot en s'arrêtant devant une bâtisse de pierre grise aux fenêtres minuscules.

Quelques minutes plus tard, les deux ados se retrouvaient dans une salle faiblement éclairée et pleine à craquer de rayonnages surchargés de livres anciens aux reliures de cuir. L'air était saturé de poussière et de l'odeur douceâtre du vieux papier.

— Les livres sont classés par périodes, c'est indiqué sur chaque étagère, précisa la bibliothécaire qui les avait accompagnés jusqu'à la section

« histoire locale ». Quant aux gravures et plans anciens, ils se trouvent dans ce meuble. Je compte sur toi pour les manier avec soin, Eliot... Ce sont des documents fragiles.

Cela dit, elle glissa vers Susan un regard suspicieux, un brin inquiet.

Oh, là, là, une étrangère à Thornshill... s'amusa mentalement Susan. *Une barbare qui n'a jamais mis de sa vie les pieds dans une bibliothèque ! Le danger rôde !*

— Bien sûr, madame Coe ! fit Eliot. Merci de votre aide !

Il lui lança un sourire charmeur alors que Susan faisait écho à ses propos :

— Merci de votre aide, madame Coe !

La bibliothécaire parut se détendre et sortit de la salle.

— Elle te fait drôlement confiance, dis donc !

— C'est parce qu'elle connaît bien ma mère, expliqua Eliot. Elles font toutes les deux partie du club de lecture.

— Ah, oui, le célèbre club de lecture de Thornshill !

Eliot la considéra avec une expression qui se voulait intransigeante.

— C'est pas bien de se moquer...

— Je ne me moque pas ! se défendit Susan. Le club de lecture de Thornshill est connu aux quatre coins de l'Écosse... et du monde !

Cette fois, Eliot éclata de rire.

Il est vraiment mignon quand il est comme ça...

175

— Tu préfères quoi ? lui demanda-t-il en reprenant son sérieux. Les gravures ou les livres ?

— Les gravures ! répondit aussitôt Susan, peu habituée à ce genre de recherche.

— D'accord ! Tu peux commencer par le XIXe siècle, qu'est-ce que tu en penses ?

— Oui, le XIXe siècle, c'est bien... approuva Susan.

Penchée sur le meuble à plans, elle entreprit de passer en revue les planches de tailles variées. Toutes représentaient des scènes de la vie quotidienne locale, des fêtes villageoises, des foires agricoles, des portraits de notables. D'un coup d'œil avisé, elle lisait rapidement les légendes ou commentaires, à l'affût du nom de Rosebury. Soudain, elle poussa un cri qui fit sursauter Eliot.

— T'as trouvé quelque chose ?

— Oui, là, regarde ! fit la jeune fille, triomphante comme si elle venait de déterrer un trésor.

Aucun doute : le manoir représenté sur la gravure exhibée par Susan était bien le manoir des Hopper. La façade aux fenêtres à guillotine, le perron surmonté du rosier entourant un glaive gravé dans la pierre, la grosse tour crénelée... Rien ne semblait avoir changé depuis 1823, date à laquelle la gravure avait été faite. Mais le plus important était le titre :

> Thornshill, manoir de la famille Taylor, anciennement propriété des Rosebury

— Super ! s'exclama Eliot. On est sur la bonne piste !

Tous deux remontèrent le temps, l'un feuilletant les livres, l'autre compulsant les cartes et illustrations.

— Le domaine était beaucoup plus grand à l'origine, annonça Susan, un plan communal sous les yeux. Apparemment, il a été divisé en plusieurs parcelles au XVIIIe siècle.

— Ça confirme ce qui est écrit dans ce bouquin, renchérit Eliot. En fait, les Rosebury n'ont pas été propriétaires très longtemps, une trentaine d'années, tout au plus. C'est le tuteur du dernier descendant des Rosebury qui a vendu le domaine à la famille Taylor en 1698. Au cours des années suivant cette acquisition, les Taylor ont gardé le manoir et les terres alentour, et ils ont vendu tout le reste.

— Regarde, j'ai trouvé des portraits des Rosebury !

Eliot s'approcha et, épaule contre épaule, les deux enquêteurs examinèrent la gravure à la lueur d'une lampe de bureau : un petit garçon était entouré par un jeune homme au visage pâle et grave, d'un homme et d'une femme à l'allure sévère. Tous les quatre posaient devant une cheminée qu'Eliot et Susan reconnurent comme étant celle du grand salon où, quelques heures plus tôt, ils se trouvaient encore. Les robes empesées des femmes et les costumes à col haut des hommes donnaient aux uns et aux autres un air fier, en opposition avec leur regard, plutôt triste.

« Lord et lady Rosebury, et leurs deux enfants, Stuart et Morris, 1698, manoir Rosebury, anciennement O'More, Thornshill », indiquait la légende.

— O'More... répéta Susan.

Détacher les yeux de ces portraits s'avérait très difficile. Pourtant, l'heure tournait, vite, trop vite. Quand une sonnerie résonna entre les rayonnages, Susan regarda Eliot d'un air stupéfait.

— Ça ferme déjà ?

Eliot jeta un coup d'œil à sa montre.

— Il va falloir qu'on se magne si on ne veut pas se faire tuer...

Ils rangèrent précipitamment les documents qu'ils venaient de consulter. Susan marqua un temps d'arrêt, cependant, au moment de remettre en place la dernière gravure, celle où figuraient les quatre Rosebury. Elle avait tellement envie de l'emporter que peu s'en fallait qu'elle ne la glissât sous sa veste. D'ailleurs, elle esquissait déjà le geste quand Eliot la surprit.

— Susan ?

Il avait l'air si choqué que Susan s'en voulut aussitôt d'avoir seulement eu l'idée de commettre ce qui n'était autre chose qu'un... vol.

T'en rates pas une... se gronda-t-elle.

Le clic d'un appareil photo la tira de ses pensées troublées. Eliot rangea son téléphone portable dans sa poche et intercala la gravure entre les autres. Quand Mme Coe fit son apparition, la salle était impeccable.

— Vous avez trouvé ce que vous cherchiez ?

— Oui, merci, madame Coe ! répondit Eliot.

— Tu passeras le bonjour à ta maman, veux-tu ?

Susan ne put s'empêcher de sourire en entendant le mot « maman », un peu incongru dans la bouche de cette femme d'âge mûr.

— Bien sûr, madame Coe. Encore merci pour votre aide, bonne soirée.

Qu'est-ce qu'il est bien élevé...

— Au revoir, madame Coe, fit à son tour Susan.

Et moi aussi !

14.

Mille pensées avaient tourmenté Susan alors qu'elle luttait pour nc pas s'cndormir. Son dos lui faisait encore mal, mais la douleur était dérisoire à côté de la peur panique qui grandissait au fur et à mesure que le jour déclinait.

Et si le rêve à venir était pire que le précédent ?

Car elle se doutait bien que cette nouvelle nuit la conduirait dans la pièce éblouissante de lumière. Le vestibule du cimetière hérissé de pierres tombales branlantes... Sans comprendre pourquoi, elle savait qu'il ne pouvait en être autrement.

C'est donc sans surprise qu'elle se retrouva dans l'étrange lieu, Georgette à ses côtés. La petite chienne portait une sorte de pull à rayures et Susan ne put s'empêcher de montrer un étonnement amusé.

— C'est le *zeune* maître qui avait peur que *z'attrape* froid. C'est drôlement *souette.*

Susan la prit dans ses bras et toutes deux attendirent fébrilement l'arrivée d'Eliot et d'Alfred.

Hors de question de faire quoi que ce fût sans eux !

— Salut, Eliot !

En voyant surgir le garçon, Susan fut aussitôt soulagée. Ouf, elle n'était plus seule.

— Salut, Susan ! s'exclama le garçon.

Il balaya la pièce des yeux. Susan ne pouvait voir son regard derrière ses lunettes colorées, mais il ne semblait pas plus rassuré qu'elle.

— *Zorzette* est *zoyeuse* de voir son *zentil* maître !

— Moi aussi, je suis *zoyeux* de te voir, ma petite mémère poilue, fit Eliot en caressant la chienne frétillante qui s'étouffa à moitié de plaisir.

— Qu'est-ce que c'est ? demanda Susan, l'attention attirée par l'objet rouge que le garçon serrait dans sa main.

— Oh, ça... Un couteau suisse ! répondit Eliot. On ne sait jamais ce qui peut nous tomber dessus... Et toi ? On dirait que tu n'es pas venue les mains vides non plus... Tu l'as piqué à Mme Pym ?

Susan répondit par une petite moue tout en enfonçant davantage dans sa poche le couteau de cuisine, protégé par son étui en plastique.

— Oh ! *Zorzette* est *soulazée* ! Ses *zeunes* maîtres ont des armes pour la *protézer* !

— Eh bien, espérons que nous n'aurons pas à nous servir de tout ce fourbi ! retentit la voix d'Alfred.

— Ah, te voilà, grand-père !

— Vous savez bien que je n'aurais raté cette nouvelle sortie nocturne pour rien au monde ! Et voyez donc, j'ai moi aussi apporté un petit accessoire...

Il entrouvrit sa veste de velours bordeaux, dévoilant le manche d'une épée dont la lame sortait derrière son dos. Susan et Eliot évitèrent de se regarder. Avec ses cheveux, plus broussailleux que jamais, et la marque des plis de l'oreiller imprimée sur la joue, Alfred avait une allure folle – au propre comme au figuré.

La brume, rampante et magnétique, attira leur attention à l'intérieur du cimetière. La porte à double battant était grande ouverte. Les quatre visiteurs nocturnes franchirent le passage alors que la lumière vive s'évanouissait derrière eux.

Sans se concerter, comme d'un commun accord, ils laissèrent leurs pas les mener jusqu'au caveau. Ou bien était-ce la brume qui les y entraînait en s'enroulant autour de leurs chevilles ? Elle semblait véritablement émaner de l'édifice lui-même, s'insinuait entre les barreaux de fer forgé et à travers les pierres, donnant l'impression que les murs l'exhalaient ou la transpiraient. À leur approche, le portillon s'entrouvrit en grinçant sur ses gonds ancestraux.

— Voilà qui ressemble fort à une invitation... murmura Alfred.

Malgré sa vive curiosité, Susan ne se sentait pas vraiment rassurée. Elle se rapprocha d'Eliot et d'Alfred. Même s'ils pouvaient disparaître à tout moment, leur présence était un réconfort essentiel.

Une fois qu'ils furent tous les quatre à l'intérieur, le portillon se referma d'un coup sec.

— *Ze* me sens pas très rassurée, haleta la chienne.

— Chut, Georgette...

Seule la lune éclairait le caveau d'un faisceau brumeux. Alfred fouilla dans sa poche et en ressortit un briquet qu'il alluma. La flamme jaillit, puis s'éteignit aussitôt. Il fit une nouvelle tentative, tout aussi vaine. Comme issu d'un projecteur mû par une main humaine, le faisceau balaya alors les parois. Il passa au-dessus des têtes des invités forcés, éclaira un instant leurs visages soucieux, pour s'arrêter enfin sur un livre gravé dans la pierre, posé au pied d'une statue dont on ne distinguait rien d'autre que la robe – le haut du corps se perdant dans la nuit. Soudain, les pages du livre sculpté se mirent à tourner, feuilletées à toute vitesse par une puissance invisible. Quand elles s'arrêtèrent, au début du livre, des mots, des lettres s'en échappèrent, voltigeant dans l'espace restreint du caveau.

— Oh, crénom d'un chien... jura Alfred.

— *Ze* voudrais revenir dans la *sambre* de mon *zeune* maître, fit Georgette, se croyant interpellée.

Sa requête resta en suspens. Les mots se rapprochaient, tournoyaient autour des quatre visiteurs, les frôlant bientôt. Par réflexe, Susan tenta de les chasser d'un geste de la main. Ils la piquèrent comme des guêpes surexcitées échappées d'un essaim, à tel point que la jeune fille dut abandonner. Puis ils se précipitèrent vers les trois visages apeurés et la face plissée de la chienne, et les heurtèrent avec violence avant de forcer le passage par leur bouche, leur nez, leurs yeux.

* * *

Ils comprirent aussitôt où les mots venaient de les entraîner. Il faisait un froid terrible et le mobilier n'était pas celui qu'ils connaissaient, mais il n'y avait aucun doute. La cheminée du grand salon, les boiseries sur les murs, la vue du loch et du bois à travers les fenêtres, et même un des tableaux qui était accroché aujourd'hui dans le couloir du premier étage... Le manoir... Et si le lieu leur était familier, l'époque à laquelle ils se trouvaient l'était beaucoup moins. Car au vu des costumes de l'homme et de la femme qui firent irruption, il paraissait évident qu'on était très loin du XXIe siècle.

— Allons, allons, ma mie, laissez-vous donc faire !

Susan et ses compagnons tentèrent de se cacher, ce qui apparut vite inutile puisque ni l'homme ni la femme ne les voyaient. Ils passèrent à côté d'eux, traversèrent Alfred et Georgette, sans rien sentir.

— Mais Alistair ! s'opposa mollement la femme. Lady O'More...

Eliot, Susan et Alfred s'entreregardèrent. O'More...

— Voyons, ma chère, il n'y a plus de lady O'More depuis qu'elle a convolé avec moi, fit l'homme, sévère.

La femme émit un petit rire.

— Vous êtes si différents qu'il s'avère parfois ardu de la considérer comme vôtre, s'amenda-t-elle. En dépit du fait que vous partagez la même couche... ajouta-t-elle, son regard glissant vers le plafond d'un air explicite.

— À moins que votre langue ne fourche, elle ne saura rien ! fit l'homme en plaquant la femme contre une table. Et quand bien même ! Mon austère épouse ne doit pas oublier que, sans ma bonté, elle ne serait aujourd'hui qu'une modeste domestique, ou, au mieux, une simple dame de compagnie.

— Mais le domaine appartient à ses ancêtres, n'est-ce pas ?

— « Appartenait » à ses ancêtres, rétorqua l'homme. Car n'oubliez pas que, selon nos lois, les filles n'héritent pas de leur père, seuls les fils le peuvent. Or les O'More n'ont pu enfanter que Meredith et ce n'est que parce que j'ai consenti à devenir son mari qu'elle peut encore demeurer ici

186

et profiter de sa fortune auprès d'un homme qu'elle aime, et non d'un parvenu sans noblesse.

— Le domaine est somptueux et la fortune considérable… objecta la femme.

L'homme l'attira contre lui.

— … mais l'épousée fort disgracieuse, grinça-t-il.

— Votre dévouement vous honore…

Sa longue robe, ajustée à la taille, mettait en valeur ses hanches rondes et sa poitrine plantureuse. D'une main preste, l'homme la souleva et fourragea sous les multiples couches de tissu, jupons et dentelles.

— Ma langue ne fourchera pas… susurra la femme.

Ils s'embrassèrent avec une telle ardeur qu'Alfred se crut obligé de mettre sa main sur les yeux d'Eliot et de Susan.

— C'est bon, grand-père… soupira Eliot. On n'est plus des gosses.

Ils se regardèrent d'un air effaré, convaincus que leur présence allait être démasquée. Mais le couple ne les entendait pas plus qu'il ne les voyait.

— Venez là, ma mignonne, ordonna l'homme. Soyez honorée de pouvoir combler lord Adams !

— Sacré diable ! s'exclama Alfred, terriblement gêné. Sortons d'ici.

Ils passèrent dans les autres pièces du manoir, aussi immatériels que des fantômes, tout en profitant de cet état pour échanger quelques impressions. À l'évidence, ils se promenaient dans le temps, un autre temps, beaucoup plus ancien, avec le manoir comme unité de lieu.

Une voix étouffée leur parvint depuis le premier étage. Ils se trouvèrent propulsés dans la chambre qu'occupait Susan. Une femme, assise devant une coiffeuse de bois clair, se brossait rageusement les cheveux. Debout à côté d'elle, une jeune servante attendait, les yeux baissés, les joues écarlates.

— Mon époux a encore ramené une de ses catins, n'est-ce pas ? lança la femme avec une colère froide.

La servante semblait transformée en statue.

— Lady O'More... bredouilla-t-elle.

— Ne m'appelez plus *lady O'More* ! cracha la femme en s'acharnant de plus belle sur sa chevelure emmêlée. Je suis lady Adams depuis mon mariage avec ce porc, qu'il crève en enfer... Comme s'il n'était pas suffisant que je lui apporte sur un plateau le domaine de mes ancêtres, il faut que ce sautard trousse presque sous mes yeux toutes les puterelles qui passent !

D'un geste plein de colère, elle étouffa un cri de rage et lança sa brosse sur le miroir de la coiffeuse. Le verre se brisa, répandant des éclats jusque sur ses genoux. Elle se saisit de l'un d'eux, releva la manche de sa robe et le pressa contre son poignet.

— Lady... risqua la servante. Ne faites pas ça, je vous en prie !

188

Soudain abattue, la femme laissa tomber l'éclat sur le sol. Puis elle posa les coudes sur le rebord du meuble, enfouit son visage dans ses mains et se mit à pleurer.

* * *

Impuissants face à la détresse de cette femme, les quatre visiteurs invisibles furent à nouveau enveloppés par les mots qui, cette fois-ci, devinrent audibles. Une voix s'éleva, gutturale et captivante comme le chant d'une baleine.

À la seconde où lady Meredith O'More vit lord Alistair Adams, elle sut qu'il était celui auprès duquel elle voulait passer sa vie tout entière. Et ce fut également à cette seconde que le malheur posa sur elle sa funeste poigne.

Bien qu'elle n'eût alors que seize ans, elle possédait une compréhension avisée des rouages régissant le monde dans lequel elle vivait. Son esprit était d'une rare intelligence et sa compagnie plaisante : ayant bénéficié d'une solide éducation et des meilleurs précepteurs, elle se révélait d'une érudition hors du commun, polyglotte, férue d'astronomie et de botanique, cavalière et pianiste émérite. Mais lady Meredith n'était pas belle. Voyez vous-mêmes...

Susan et ses compagnons regardèrent plus attentivement qu'ils ne l'avaient fait jusqu'alors la femme devant sa coiffeuse ravagée. Sa silhouette n'était pas menue, mais sèche. Son nez proéminent, ses yeux trop petits et trop rapprochés, ses cheveux rares et sans lustre, son menton fuyant... Non, en effet, elle n'était pas une beauté.

Le récit reprit.

À notre époque, son esprit et ses nombreux talents auraient fait de lady Meredith une irrésistible séductrice. Des hommes l'auraient aimée avec passion, des femmes pourtant brillantes l'auraient jalousée.

Malheureusement pour elle, la personnalité, le tempérament, la beauté intérieure sont des notions modernes. La destinée des femmes de la noblesse à cette époque dépendait soit de leurs attraits, soit de leur fortune. Et le seul atout dont pouvait se prévaloir Meredith était d'être la fille unique des richissimes lord et lady O'More, propriétaires d'un domaine plusieurs fois centenaire. Elle en avait une conscience aiguë et n'était pas dupe de l'intérêt qu'elle suscitait au sein de l'aristocratie masculine en âge de se marier ; les prétendants ne manquaient pas et cela pour une unique raison : elle était un des meilleurs partis du pays.

En nourrissait-elle une rancœur ? Inévitablement. Car en dépit de son intelligence et de sa laideur, elle n'en demeurait pas moins une jeune fille prompte à aimer et à espérer être aimée. Et en cet été 1656 où elle posa pour la première fois les yeux sur lord Adams, sa lucidité s'évanouit sous les effets d'un amour foudroyant.

À l'instar d'un narrateur de chair et d'os, soucieux de ménager un certain suspense, les mots interrompirent leur récit. Ils s'immobilisèrent, suspendus dans l'air glacé du caveau. Susan et ses amis pouvaient sentir leur souffle, velouté et léger comme des flocons de neige. Puis ils vibrèrent à nouveau et reprirent le cours de la terrible histoire.

Il lui fallut sept ans pour réussir à épouser cet homme dans la fleur de l'âge auquel elle dédiait depuis le premier jour chaque respiration, chaque pensée, chaque battement de son cœur.

Dès qu'ils constatèrent son émoi, lord et lady O'More s'opposèrent à la perspective d'une union et ne ménagèrent pas leurs efforts pour convaincre leur fille qu'elle s'égarait : séducteur, superficiel, dépensier, lord Adams était affligé d'une réputation désastreuse, mais méritée.

Pourtant, c'était lui que Meredith voulait. Corps et âme.

Une aubaine pour lord Adams… Chaque jour le rapprochant un peu plus du déshonneur de la ruine, l'amour immodéré que cette disgracieuse mais riche jeune fille lui portait représentait une promesse d'avenir inespérée.

De leur vivant, jamais les parents de Meredith n'auraient accepté qu'elle l'épousât. Aussi vécut-elle comme une délivrance la disparition de son père au cours d'un accident de chasse, suivie de près par celle de sa mère, emportée par une pneumonie.

Aux funérailles succédèrent aussitôt les épousailles : Meredith O'More devint enfin lady Adams. Si elle avait rêvé d'un mariage en grande pompe, romantique à souhait, elle dut faire face à une immense déception.

Inoubliable, ce jour le fut. La précipitation de la jeune fille portant depuis si peu le deuil de ses parents attira l'opprobre : tout le monde déclina l'invitation, à part les compagnons de débauche de son tout nouvel époux. Quant à ce dernier, sitôt les alliances échangées, il se conduisit comme celui contre lequel lord et lady O'More avaient mis en garde leur fille : un goujat, doublé d'un profiteur sans scrupules.

La nuit de noces fut un cauchemar. Au petit matin, trop choquée pour pouvoir pleurer, Meredith regarda l'homme qui ronflait dans le lit conjugal et comprit combien ses parents avaient eu raison.

Il était beau.

Il était violent. Brutal. Détestable.

Il allait la dépouiller. De sa fortune. De son innocence. De sa dignité. De toute perspective de bonheur.

Mais il était celui qu'elle voulait depuis toujours et qu'elle adorait au-delà de toute raison.

* * *

Encore sous l'émotion de ces révélations, les quatre voyageurs temporels furent éjectés de la chambre où la malheureuse lady cédait à une crise de larmes et la retrouvèrent, un peu vieillie, dans une petite maison campagnarde en compagnie d'une femme vêtue de façon modeste, un châle de laine noire sur les épaules. L'odeur insistante du feu et celle, douceâtre, de la cire des bougies recouvrant un candélabre envahissaient la pièce nimbée de la lumière mouvante des flammes.

La femme rejeta derrière ses épaules sa longue chevelure bouclée et se mit à caresser le chat endormi sur ses genoux.

— Lady O'More, vous connaissez le risque que votre requête nous fait courir à toutes deux, dit-elle. Si la nature de mes pratiques venait à être connue, celles et ceux les ayant sollicitées subiraient le même châtiment que moi. La sorcellerie...

Elle s'interrompit et regarda tout autour d'elle avant de s'arrêter sur l'endroit où se trouvaient Susan et ses compagnons.

— Non, elle ne peut pas nous voir, souffla Susan. Nous venons d'un autre temps, nous n'existons pas encore...

Pourtant, les yeux de la femme restaient braqués sur eux en luisant d'une intensité dérangeante. Susan fit un pas de côté et ce fut comme si les yeux la suivaient. Le cœur presque à l'arrêt, Susan jeta un coup d'œil à Alfred et à Eliot.

— Elle doit avoir une sorte de sixième sens, mais je pense qu'elle ne nous voit pas vraiment... murmura Eliot.

La femme porta à nouveau son attention sur sa visiteuse – que tout le monde semblait s'obstiner à appeler O'More malgré son mariage avec Adams.

— Je comprends vos tourments et je sais comment vous aider, poursuivit-elle. Cependant, certaines exigences pourraient vous paraître cruelles.

La flamme des bougies vacilla. Le chat redressa la tête, puis se pelotonna contre sa maîtresse.

— Poursuivez, je vous prie… fit lady O'More.

— Ma magie se fonde sur des forces appelant le sang. Beaucoup de sang. Serez-vous assez forte pour le supporter ?

Ses immenses yeux en amande la scrutèrent avec une telle ardeur qu'ils semblaient pénétrer jusqu'au tréfonds de son âme.

— Rien ne saurait écorner ma résolution, répondit la lady.

— Même si le sort exige la vie de l'enfant que vous portez ?

Lady O'More la fixa sans ciller. Elle leva les mains vers son ventre bombé, puis les posa à nouveau sur la table.

— Tout ce qui est issu de mon mari est entaché par l'ignominie et le déshonneur, assena-t-elle avec froideur.

Susan laissa échapper un petit cri. Elle regarda Eliot et Alfred, aussi horrifiés qu'elle.

— À la première lune suivant l'enfantement, retrouvez-moi ici, indiqua la femme après un long silence.

Les mots du livre de marbre réapparurent autour des quatre visiteurs, soudain plongés dans un tourbillon de lettres. La belle voix résonna à nouveau, capiteuse comme du miel, sombre comme la nuit sans lune.

Cinq années sont passées depuis que Meredith est devenue lady Adams. Cinq années pendant lesquelles elle ne connut pas un seul instant de joie.

La cruelle désillusion de sa nuit de noces aurait pu être adoucie par la rencontre du bonheur conjugal ou maternel. Pourtant, plus le temps passait, plus les souffrances empiraient. Lord Adams avait dilapidé la fortune des O'More et gérait le domaine avec une désinvolture que la rigueur de sa jeune épouse parvenait difficilement à corriger... Mais au-delà de l'opprobre social, Meredith dut affronter les pires épreuves qu'une femme puisse subir : face à l'indifférence de son mari, c'est seule qu'elle dut pleurer deux enfants mort-nés et supporter trois fausses couches.

Malgré tout, elle adorait cet homme. Qu'il l'insultât ou la brutalisât, ni l'intelligence ni la souffrance de Meredith ne pouvaient la ramener à la raison : elle l'aimait.

Autrefois si entourée, elle vivait désormais sans amie, sans confidente, toutes ses connaissances s'étant éloignées, en grande partie parce que Adams ne pouvait s'empêcher de les courtiser au vu et au su de tous. Mais aussi à cause de cet amour insensé qu'elle lui portait, qui la détruisait jour après jour et que personne ne pouvait comprendre.

Sa sixième grossesse s'annonçait différente des précédentes. Meredith savait que tout se passerait bien, cette fois-ci. Elle sentait la vie au fond d'elle, une vigueur *méconnue, mais prometteuse. Adams, lui, précipitait le foyer vers la ruine, ainsi qu'il l'avait fait de l'héritage paternel, et se perdait sous les jupes de ses innombrables conquêtes. Depuis longtemps, il ne prenait plus la peine de se cacher. Combien de fois l'avait-elle surpris, vautré entre les cuisses des autres ? Elles étaient toujours plus jeunes, toujours plus belles, alors qu'elle se racornissait comme un fruit qu'on aurait oublié de cueillir, perdant son sucre et sa saveur.*

— M'aimerais-tu si j'étais belle ? eut-elle la folie de lui demander un jour.

Pour toute réponse, il l'obligea à se retourner pour ne plus voir son petit visage hideux et larmoyant. C'est alors qu'elle prit sa décision : elle serait belle.

Pour lui. Ne serait-ce qu'une seconde.

Dût-elle en mourir.

Ce qu'elle ignorait alors, c'est que le prix à payer allait bien au-delà de sa propre vie.

Les mots disparurent. Susan et ses compagnons furent transportés auprès de Meredith, penchée sur un berceau au-dessus duquel flottait le parfum douceâtre du lait caillé. Dans la lumière spectrale des rayons de lune, les hôtes invisibles s'approchèrent et aperçurent le nourrisson, adorable, puis le visage de sa mère, dénué de toute expression. Quand elle brandit le couteau, pointe dirigée vers le petit corps, Susan et Eliot poussèrent un cri qui se perdit dans les limbes des siècles les séparant de l'infanticide.

— On ne peut pas la laisser faire ça ! hurla Eliot.

— Le mal est fait, mon garçon... fit sombrement Alfred. C'est déjà arrivé...

Face à eux, Meredith calait le couteau entre ses deux mains croisées. Elle murmura quelques mots d'une voix désincarnée et abattit l'arme sur la minuscule silhouette. Le sang éclaboussa les rideaux de dentelle et la longue chemise de la tueuse avant de couler sur le parquet en un long filet écarlate.

Les mots du livre de marbre réapparurent et jetèrent un voile de velours noir sur la scène macabre.

Le bébé avait trois jours. Pour la première fois depuis que Meredith le connaissait, son époux pleura à chaudes larmes. Fait étrange, il dut enterrer seul son fils assassiné : sa femme avait tué le bébé, puis elle avait disparu. Pourtant, elle était là, à ses côtés. Cette très belle domestique à la peau laiteuse et au corps capiteux, c'était elle, lady Meredith Adams, son épouse.

La chair de sa chair avait péri. Le sang avait coulé.

Elle était belle. Belle à mourir. Adams allait l'aimer. Au moins une fois. Enfin.

L'enfant avait payé le prix de la beauté. Mais Adams paierait celui de l'éternité.

15.

— Susan ? Ouvre, s'il te plaît !

Susan entrouvrit la porte de sa chambre. Eliot se précipita à l'intérieur, bousculant presque la jeune fille, et referma nerveusement la porte derrière lui. Puis il la regarda avec un soulagement mêlé d'interrogation et de stupeur.

— Ouf, tu es là ! souffla-t-il. Ça va ?

C'est plutôt à lui qu'il faut le demander, se dit Susan.

Sa mine était épouvantable, ses traits tirés, ses yeux gonflés.

Mais plus grave encore, il avait l'air... malade.

Hum... Pas bon du tout, ça... ne put s'empêcher de penser Susan. *Helen ne va pas manquer de faire des remarques, c'est sûr... Il ne faudrait pas qu'elle pense que c'est ma faute !*

— Qu'est-ce qui s'est passé quand tu t'es retrouvée seule ? fit Eliot en se laissant tomber sur la chaise de bureau.

Susan haussa les épaules tout en faisant une grimace. Eliot se rembrunit et Susan s'en voulut aussitôt.

— Rien de déterminant, répondit-elle. Quand Alfred et toi, vous avez disparu, les mots se sont mis à tourner autour de moi, à toute vitesse. J'entendais répéter sans cesse « beauté », « éternité », « prix à payer », ça résonnait, c'était terrible. Et puis j'ai été éjectée.

Elle regarda Eliot sans avoir prémédité la moindre expression, pour une fois.

— Ce à quoi on a assisté est vraiment atroce, murmura-t-elle.

— Un vrai cauchemar… Il faut qu'on aille voir grand-père, il a sûrement une explication.

— Mais avant, il faut qu'on passe par la case « petit déjeuner »…

Ce détail ne manqua pas d'arracher un sourire à Eliot et, par ricochet, de permettre à Susan de marquer un nouveau point.

* * *

— Inutile d'en discuter davantage, martela Helen. Ce chien dormira à la cuisine cette nuit.

Susan aurait-elle dû se sentir responsable de ce bannissement ? C'est ce que Georgette tentait certainement de lui faire comprendre en braquant sur elle ses yeux immenses, larmoyants, pathétiques. La jeune fille tourna la tête pour échapper à la puissance de ce regard culpabilisant et jeta un coup d'œil à Eliot. Il n'avait pas cherché à démentir les soupçons de sa mère lorsque celle-ci avait constaté son état de fatigue.

— Georgette t'a encore empêché de dormir, c'est ça ? avait-elle aussitôt supposé.

Il avait acquiescé, mollement. C'était si facile.

— Et toi, Susan ? avait poursuivi Helen. Tu as l'air bien fatiguée, toi aussi.

Susan avait pris l'air contrit de celle qui se force à avouer quelque chose contre son gré et avait lâché dans un souffle :

— Georgette est une chienne adorable, mais c'est vrai qu'elle a été très bruyante, cette nuit...

Et maintenant, la malheureuse si injustement accusée pleurait dans son coin.

— Que se passe-t-il donc ? demanda James Hopper en faisant irruption dans la pièce. Qu'a donc fait notre facétieuse Georgette ?

— Elle empêche tout le monde de dormir, répondit Helen avec un soupir.

Les deux ados baissèrent la tête, se jurant de compenser leur traîtrise dès qu'ils le pourraient.

— Oh, la vilaine... commenta James, rieur.

Le regard d'Helen se fit réprobateur, puis plus doux, un peu triste, lorsqu'elle avisa une valise sur le palier.

— Tu pars déjà ?

— Oui, c'est l'heure.

Il s'approcha de la table, posa la main sur la nuque de sa femme et déposa un bref et pudique baiser sur ses lèvres.

— Tu reviens quand ? demanda Eliot.

— Dans cinq jours, répondit son père.

Eliot se tourna vers Susan.

— Papa est antiquaire, il nous abandonne souvent pour parcourir le monde et dénicher des vieilleries qu'il revend à prix d'or... expliqua-t-il.

Amusé, James ébouriffa les cheveux de son fils et se pencha pour le serrer dans ses bras. Eliot lui rendit son accolade et, d'un mouvement de tête sur le côté, s'empressa de remettre en place sa mèche.

— À la semaine prochaine, mon garçon...

— Salut, p'pa !

James se tourna alors vers Susan. Pendant un infime instant, il parut hésiter, puis il posa simplement la main sur son épaule et la pressa en douceur.

— À la semaine prochaine, Susan.

— Oui, faites un bon voyage... répondit la jeune fille, soulagée qu'il ne l'ait pas embrassée – elle n'aurait vraiment pas su comment réagir.

* * *

Sitôt le petit déjeuner terminé, Eliot et Susan prétextèrent une visite au bord du loch pour s'éclipser du manoir – et se libérer de la vigilance d'Helen. Sans paraître leur tenir rigueur de quoi que ce fût, Georgette gambadait joyeusement à leurs côtés, bondissant par-dessus l'herbe et les touffes de lichen qui affleuraient sur les roches.

— Elle est vraiment marrante, s'esclaffa Susan.

— T'inquiète pas, Georgette, fit Eliot. Je viendrai te libérer cette nuit. Tu ne dormiras pas dans la cuisine.

— Oui ! renchérit Susan. On va faire ça !

Elle offrit quelques caresses à la chienne et suivit Eliot le long des berges du loch. La combinaison blanche du garçon contrastait avec les eaux dont les nuages bas et gris accentuaient la noirceur. De temps à autre, Eliot jetait des regards en arrière, vers le manoir.

Il a drôlement peur de désobéir à sa maman... pensa Susan.

Elle devait cependant lui reconnaître un certain aplomb. Enfreindre les règles d'Helen représentait une véritable prise de risque, pour lui comme pour elle. Car, où qu'elle fût et quoi qu'elle fît, Susan était en sursis.

Elle soupira et ne put s'empêcher de scruter, elle aussi, les multiples fenêtres du manoir derrière lesquelles Helen pouvait les surveiller. Mais se souciait-elle d'eux à ce point ? Comment savoir ?

— Susan ! Par là, viens !

Eliot s'engageait maintenant vers un talus de broussailles derrière lequel se dessinait un chemin presque invisible tant il était étroit. Partant dans la direction opposée aux berges et bordé d'ajoncs qu'il fallait écarter, il faisait immanquablement penser à un passage secret.

Je mettrais ma main à couper que ce n'est pas la première fois qu'Eliot emprunte ce chemin, remarqua Susan, surprise. *Pas né de la dernière pluie, le petit cosmonaute !*

— Attends, je vais passer devant pour ouvrir la voie ! proposa-t-elle.

Le chemin n'avait rien d'un raccourci. Mais il avait l'avantage de mener en toute discrétion à la maison d'Alfred. Le vieil original les attendait avec impatience. À peine les deux ados apparurent-ils entre les taillis qu'il ouvrit la porte, ravi.

— Ah, vous voilà ! Entrez, entrez vite !

En dépit de ses cheveux et de sa moustache en bataille, sa mise était impeccable : le kilt parfaitement plissé en harmonie avec la cravate et le pull, les chaussettes tirées haut sur les mollets, les chaussures si bien cirées qu'on aurait pu se contempler dans leur reflet.

— Miss Susan est parmi nous et j'en suis bien heureux, dit-il en guise d'introduction.

Il invita ses jeunes hôtes à s'asseoir et se mit à fixer la jeune fille.

— Tout le monde va bien ?

Les deux ados acquiescèrent, alors que Georgette lançait un « waouf » étouffé.

— Quelle étrange affaire, tout de même... marmonna le vieil homme en triturant sa moustache hirsute. Comment s'est passée la suite de ton... rêve ? Ce fut terrible de te laisser *là-bas* toute seule après ce que nous avons entendu.

Susan le rassura, étonnée de son inquiétude. S'était-il réellement fait du souci pour elle ? Cette idée lui procurait une sensation nouvelle.

Nouvelle et étourdissante.

— À ton avis, grand-père, c'est quoi cette histoire ?

Alfred frotta ses joues mal rasées du bout de ses doigts en produisant un crissement désagréable.

— J'ai fait quelques recherches sur Google...

Susan eut un mouvement de surprise. Elle pouvait imaginer Alfred affairé au-dessus d'alambics et de vieux parchemins poussiéreux, ou bien perdu dans la contemplation du ciel à travers d'antiques télescopes, mais certainement pas en train de surfer sur Internet.

— Tout ce que nous savons aujourd'hui, c'est que les O'More sont une très vieille famille issue de l'aristocratie écossaise et qu'ils sont les fondateurs du domaine dont nous occupons aujourd'hui une partie.

— Sans oublier les Rosebury et ces morts étrangement similaires ! s'exclama Eliot.

Georgette manifesta son assentiment par un jappement frétillant pendant que tout le monde réfléchissait. Concentrée, Susan se pencha machinalement pour prendre la petite chienne dans ses bras et la caressa d'un air absent.

— Le seul lien dans cette histoire, c'est le manoir, fit Eliot.

— Pour le moment, ajouta son grand-père en lissant sa moustache. Car il y a forcément autre chose.

Susan ne pouvait ignorer la façon qu'avait Alfred de la dévisager en disant ces mots : il semblait être stupéfait par ce qu'il venait de comprendre.

— Qu'est-ce qu'il y a ? demanda-t-elle tout de même, plutôt vivement.

Il ne répondit pas, mais elle était presque sûre de ce qu'il pensait. Évidemment qu'il y avait autre chose, ça n'avait pas échappé à ce vieux fou.

C'est depuis que je suis là qu'il se passe des trucs bizarres. La preuve : je suis la première à entrer dans les rêves et la dernière à en sortir. C'est moi qui déclenche tout ça. C'est ma punition. Il fallait bien qu'un jour ou l'autre je paie pour ce que j'ai fait.

— Vivement cette nuit qu'on essaie d'y comprendre quelque chose ! intervint Eliot.

Alfred se tourna vers lui.

— Point de procrastination ! s'exclama-t-il. Pourquoi attendre la nuit ?

Cette fois, ce fut au tour d'Eliot et de Susan d'être intrigués.

— Eh bien, pour dormir, grand-père... Pour rêver à nouveau.

Alfred eut un sourire mystérieux.

— Et les siestes, alors ? Ce n'est pas fait pour les chiens !

À l'évocation de son espèce – et pour preuve qu'elle comprenait parfaitement le langage humain –, Georgette remua sa queue en tire-bouchon.

— Waouh... fit Susan dans un souffle. Ça doit faire au moins dix ans que je n'ai pas fait la sieste...

— On n'est pas un peu grands pour ça ? demanda Eliot.

— Allons, mon cosmonaute préféré, ce n'est pas une question d'âge, Dieu merci !

— Il faut essayer, renchérit Susan.

Alfred opina du chef.

— Je vois que miss Susan est très motivée.

— Mais moi aussi ! rétorqua Eliot.

Alfred se frotta les mains et entreprit de fouiller dans un invraisemblable bric-à-brac de boîtes, coffrets, bocaux d'où il exhuma une bouteille fermée par un bouchon de liège. Puis il ouvrit le tiroir d'un semainier, remua son contenu et finit par brandir une pipette de verre.

— Avec ça, vous trouverez très vite le sommeil !

— Qu'est-ce que c'est ? demanda Eliot. Du chloroforme ?

Alfred explosa de rire.

Quel malade... se dit Susan. *Il est sympa, mais bien attaqué...*

— Grands dieux, non !

Et qu'est-ce qu'il aime les expressions avec Dieu...

— C'est de la valériane, tout ce qu'il y a de plus naturel. Mettez trente gouttes dans un verre d'eau, avalez cul sec et vous ne tarderez pas à rejoindre Morphée. Tentons ensemble aux alentours de treize heures.

— Oui, on n'a qu'à faire comme ça... lança Susan.

— Bon, alors à tout à l'heure, grand-père.

— À tout à l'heure, Alfred... fit en écho la jeune fille.

— Je l'espère bien, mes enfants...

* * *

— Oh, nom de Dieu, qu'est-ce que ça pue !

Susan reboucha très vite la petite bouteille de valériane en grimaçant.

— Tu crois que c'est encore bon ?

— Je suppose que oui... Grand-père est très doué pour beaucoup de choses, tu sais.

— Moi, en tout cas, je n'ai pas envie de mourir empoisonnée, annonça Susan en replaçant le bouchon de liège. Vous avez une armoire à pharmacie ici ?

— Oui, dans le cellier.

— Tu veux bien m'y emmener ?

Comment Eliot aurait-il pu résister ? Il pourrait la suivre à l'autre bout du monde pour recevoir un sourire comme celui qu'elle lui adressait. Il crut fondre. Se sentit ramollir comme du beurre dans une poêle sur le feu. Fut emporté par une émotion vertigineuse.

— Eliot ?

La voix de Susan lui parvint comme enrobée d'ouate.

— Le cellier ? Tu me le montres ?

* * *

— Du sirop pour la toux ? Oh, Susan...

— T'as jamais remarqué combien ça pouvait mettre dans les vaps ?

Eliot lui jeta un regard un peu effarouché.

— Si...

Cet aveu scellait leur complicité. Triomphante, Susan dévissa le bouchon et avala une grande rasade de sirop visqueux au goût de caramel avant de tendre le flacon à son comparse. Ils s'essuyèrent tous les deux la bouche du revers de la main comme des cow-boys qui viendraient de vider un verre de whisky plein à ras bord. Quand ils eurent rejoint le premier étage, ils ne purent s'empêcher d'échanger un regard tendre et un peu amusé.

— N'oublie pas de mettre ta combinaison ! lança Susan avant de refermer la porte de sa chambre.

— T'inquiète...

16.

— Ah ! Vous voilà enfin !

Alfred et Eliot, enveloppé dans sa protection crissante, s'avancèrent vers Susan. Le derrière posé sur le pied de la jeune fille, Georgette frétilla :

— Susan et *Zorzette* se font une *zoie* d'avoir de la compagnie !

— On n'a pas beaucoup de temps, fit Susan à l'intention des deux arrivants.

Elle s'engagea la première dans le rai de lumière vive. Sous l'impulsion de ce mouvement, les deux battants de la porte s'écartèrent complètement, dans un chuintement étouffé finalement plus inquiétant que les grincements sinistres auxquels on aurait pu s'attendre.

Dès qu'ils furent passés tous les quatre, ils se dirigèrent d'un même pas décidé vers le caveau, entourés par une brume obscure. Accentués par la fraîcheur, de forts effluves de terre humide leur piquèrent les narines.

— *Atsoum !* éternua Georgette, sa petite face de velours noir toute plissée.

La grille de fer forgé du monument funéraire s'ouvrit à leur approche : ils étaient attendus.

Le livre de marbre se mit aussitôt en mouvement. Les feuilles voletèrent, aussi légères que si elles étaient en papier. Puis, en plein élan, elles se figèrent et deux d'entre elles retombèrent, chacune d'un côté du livre, avec le bruit mat de pierres s'entrechoquant. Les mots s'élevèrent alors de la surface lisse, restèrent suspendus un instant avant de se ruer comme un essaim de guêpes vers Susan et ses compagnons.

Leur contact était mordant. Glacé comme le marbre dont ils venaient de s'échapper. Mais cette morsure importait peu aux quatre « rêveurs ». La scène à laquelle ils se voyaient contraints d'assister se révélait mille fois plus éprouvante...

Les mots les avaient à nouveau conduits loin dans le temps, mais le lieu restait le même : le manoir, et plus précisément une des chambres du premier étage. La nuit n'était pas assez profonde pour cacher le lit où se trouvait une femme, exposant sa somptueuse nudité à lord Adams.

— Meredith ? Comment est-ce possible ? Ça ne peut pas être toi... bredouilla ce dernier, les yeux enfiévrés à la fois de désir et de terreur.

La femme remit en place de longues mèches de cheveux qui s'étaient échappées de son chignon lâche. En se cambrant, ses reins révélèrent son corps parfait, ventre ferme, buste fièrement dessiné, hanches d'une rondeur irrésistible auxquelles lord Adams s'accrocha, envoûté.

— Et pourtant si, c'est bien moi, mon mari, mon très cher mari... souffla Meredith en posant les mains sur le torse d'Adams. Il aura suffi de quelque magie pour que tu me voies enfin comme celle que je suis...

Désormais, sa voix était tout à fait reconnaissable.

— Quelque magie ?! s'écria lord Adams. Mais tu as tué notre enfant, Meredith !

— Ne dit-on pas que la beauté exige des sacrifices ?

— C'est cette sorcière qui t'a mis toutes ces horreurs en tête, réussit-il à ânonner.

— Cette sorcière, ainsi que tu la nommes, est celle qui aura permis que tu m'aimes, mon amour... répliqua Meredith entre deux profonds baisers qu'Adams lui rendait avec une fascination horrifiée. Regarde comme tu m'aimes...

Adams semblait entièrement soumis à sa femme et à ces instants de volupté. Pourtant, contre toute attente, il lâcha dans un gémissement :

— Non, Meredith ! Non, je ne t'aime pas !

Elle se raidit au-dessus de lui, magnifique, alors que le temps paraissait se suspendre dans une sorte de menace sourde.

— Je ne t'aime pas et je ne t'aimerai jamais ! martela Adams, les dents grinçantes.

— Je le sais, mon amour, fit Meredith d'une voix dénuée d'émotion. Et c'est pourquoi ta mort n'en sera que davantage une délivrance…

Ces mots prononcés, elle porta ses mains à sa chevelure avec la posture gracieuse d'une danseuse et en tira une longue aiguille.

Ses cheveux se répandirent en volutes brunes sur ses épaules alors que, dans un cri triomphal, elle plantait l'accessoire dans le cœur d'Adams.

Elle garda les deux mains serrées sur l'extrémité de l'aiguille, ornée d'une boule d'or comme le pommeau d'une canne, et la tourna lentement. Les cercles se firent de plus en plus larges, de plus en plus frénétiques. Une odeur de sang s'éleva, douceâtre et métallique, depuis le corps d'Adams que la vie quittait.

— Adieu, mon amour… fit Meredith. Merci de m'offrir l'éternité…

Et devant les yeux vitreux de son époux, elle se badigeonna suavement le visage et le buste du sang qui couvrait ses mains.

Quelque chose ne tarda pas à sortir d'elle. Une ombre tordue, double hideux et impalpable. Elle plana un instant au-dessus des boucles brunes de Meredith et de son corps luisant de sang.

— Mon démon… murmura la meurtrière. Je suis à toi jusqu'à la fin des temps.

La silhouette répandit son souffle fétide alors que résonnait son rire.

— Jusqu'à la fin des temps, oui, répéta le démon d'une voix gutturale. Cependant, n'oublie pas, Meredith : indivisibles et immortels nous sommes. Mais si je devais connaître les affres de la faim, ta vie s'éteindrait avec la mienne.

Le démon parcourut la chambre dans un courant d'air aussi glacé que pestilentiel avant de réintégrer les entrailles de sa maîtresse. Cette dernière renversa la tête en arrière et hurla de bonheur avec une puissance qui n'avait plus rien d'humain.

* * *

— C'est atroce ! gémit Susan, livide. Je voudrais me réveiller maintenant, j'en ai assez vu…

Mais au lieu de s'effacer, les mots continuèrent leur danse macabre et entraînèrent la jeune fille, Eliot, Alfred et Georgette dans une maisonnette d'allure rustique.

Ils reconnurent aussitôt Meredith O'More, ravivant le feu dans la cheminée. Ses vêtements n'étaient plus aussi élégants, sa coiffure pas aussi brillante que lorsqu'ils l'avaient quittée, sur le lit de mort d'Adams. Mais elle affichait la même beauté. Quand on frappa à la porte, elle parut encore plus belle. Elle lâcha le tisonnier qu'elle tenait et se précipita pour ouvrir. Une silhouette masculine apparut sur le palier.

— Morris… murmura-t-elle.

Elle prit le visage de son visiteur entre ses mains et l'embrassa avec passion.

— Ah, non, ça ne va pas recommencer… grogna Alfred.

— On en a vu d'autres, grand-père, fit remarquer Eliot.

— Ce n'est pas une raison… grommela le vieil homme.

Meredith entraîna Morris à l'intérieur. Il était très jeune, encore adolescent peut-être. Aussi blond que Meredith était brune, ses traits se révélaient d'une grande finesse. Son teint d'albâtre et ses yeux d'une transparence bleutée généraient une impression de romantisme ardent, comme si son être se trouvait la proie d'une combustion intérieure. Il y avait quelque chose de lumineux en lui, de cette lumière lunaire, un peu spectrale, dont il était difficile de se détacher et que l'éclat charnel et flamboyant de Meredith ne faisait qu'intensifier.

— Mon père commence à poser des questions, fit-il en enfouissant son visage dans le cou laiteux de Meredith. S'il savait que je suis là, il me tuerait.

— Lord Rosebury est un homme auquel les attraits de certains plaisirs échappent, lança Meredith avec un rire de gorge tout à fait troublant.

Susan et ses amis s'entreregardèrent. Rosebury… Morris… Peut-être allaient-ils avoir des réponses à leurs questions ?

— Mais n'aie crainte, mon doux seigneur…
poursuivit Meredith. Jamais il ne te tuerait, car
c'est sur moi et moi seule qu'il porterait tout son
ressentiment. Tu es si… jeune.

Morris se dégagea de son étreinte.

— J'ai dix-sept ans ! protesta-t-il en dénouant
rageusement le corsage de Meredith. Et toi, tu sais
bien que je ne suis plus un enfant, maintenant.

— Oui, je le sais, mon petit homme… soupira
Meredith en pressant la tête de Morris entre ses
seins.

La pièce se nimba d'un voile sombre et les mots
revinrent, ramenant Susan et ses compagnons
dans le caveau. Quelques pages du livre de marbre
tournèrent, comme mues par un fantôme, et l'histoire reprit son cours.

*Pourrez-vous croire que trente années se sont écou-
lées depuis la mort de lord Adams ? Ainsi que l'avait
annoncé la sorcière, le sang avait coulé et l'ignominie
de ses actes avait contraint Meredith à fuir. Elle fut
recherchée par toutes les polices du royaume, mais sa
beauté, nouvellement et chèrement acquise, s'avérait
être sa meilleure protection. Personne ne pouvait
reconnaître la disgracieuse lady Adams sous les traits
de cette femme superbe. Par sécurité, elle s'établit
néanmoins à Glasgow, avant de s'installer ici ou là.
Les années passèrent. Meredith Adams, née O'More,
riche héritière d'une des plus vieilles familles d'Écosse,
devint Meredith Scott, femme de chambre, cuisinière,*

couturière… passant de ville en ville, collectionnant les hommes.

Au bout de vingt-cinq années d'errance, elle revint enfin à Thornshill où elle entra comme lingère au service de lord et lady Rosebury — les nouveaux propriétaires du domaine des O'More, acquis après la mort de lord Adams et la disparition de sa femme. Les Rosebury avaient deux enfants, Morris et Stuart.

Refusant de loger au manoir avec les autres domestiques, Meredith occupait cette petite maison en plein bois. Là, à l'abri du monde, elle pouvait vivre pleinement son histoire d'amour avec Morris Rosebury.

Ne doutez pas d'elle… Malgré leur différence d'âge et la barrière sociale, l'amour qu'ils se portaient l'un à l'autre était sincère et profond. Adams n'avait été qu'une illusion, un tourment sans fond.

Pour la première fois de son existence, Meredith aimait et était aimée.

Mais la petite maison au fond du bois n'avait pas que l'avantage de protéger cet amour.

Car Meredith recélait un deuxième secret, beaucoup plus sinistre. Le pacte passé avec la sorcière trente ans plus tôt était exigeant, le sang de l'enfant et celui d'Adams n'auraient su être suffisants pour pouvoir conserver la beauté éternelle…

Les mots entraînèrent Susan et ses amis dans un long couloir tapissé de lettres sanglantes. L'odeur qui s'était échappée de la figurine de cuir frappa à nouveau leurs narines. Relents de corps arrachés à la vie, puanteur de chairs massacrées…

Au bout du couloir maculé de l'empreinte incontestable de la mort, Meredith traversait une forêt en courant. De la lumière orangée, au loin, s'échappaient les cris des hommes et les aboiements des chiens lancés à sa recherche. Mais, malgré la nuit noire, Meredith manœuvrait parfaitement au milieu de la végétation, évitait les racines, esquivait les buissons d'épines, et la distance avec ses poursuivants se creusait davantage chaque seconde.

Elle parvint à sa maisonnette dans une obscurité à peine troublée par des bandes de brume opalescentes. Une fois à l'intérieur, elle se débarrassa de sa longue capeline de velours noir et, à la faveur du feu agonisant dans la cheminée, on put voir un bambin dans ses bras. Enveloppée d'un bonnet en crochet, sa petite tête reposait sur l'épaule de Meredith.

Les mots du livre de pierre reprirent leur explication :

Cet enfant n'était pas celui de Meredith. Si on la pourchassait, c'est parce qu'elle venait de l'enlever à ses parents, ainsi qu'elle l'avait fait avec des dizaines d'autres pendant toutes ces années.

Femme esseulée en mal d'enfant ?

Non.

Femme ensorcelée et redevable d'une terrible dette.

Femme à laquelle son démon, révélé par les sacrifices des Adams, père et fils, rappelait à chaque solstice son insatiable faim…

Quand elle posa le bambin sur les linges, devant l'âtre, l'attitude de Meredith était si maternelle, si féminine, qu'on ne pouvait s'empêcher d'y voir de l'amour, ou du moins une certaine forme de tendresse. L'espace d'un instant, on aurait presque pu croire qu'elle s'apprêtait à l'allaiter. Mais quand elle le démaillota et que le petit corps apparut dans le miroitement des flammes, le charme de cette scène se rompit brutalement pour offrir à ceux qui la contemplaient une des plus effroyables visions de l'enfer.

* * *

Quand, de sa dague effilée, elle eut ouvert le thorax du bambin, Meredith fouilla entre les côtes dévoilées et en retira le minuscule cœur encore vibrant. Elle le contempla, le regard brûlant de l'horreur de sa détermination, et le dévora.

Son démon jaillit aussitôt, hideux, sanguinolent, et enlaça Meredith dans une étreinte damnée.

* * *

La porte de la maisonnette s'ouvrit à la volée. Susan et ses compagnons sursautèrent et Georgette se mit à trembler comme une feuille. Trois hommes firent irruption et s'arrêtèrent net. Leurs yeux allèrent du corps supplicié de l'enfant à Meredith, étrangement calme.

Un des hommes se précipita vers la cheminée et tomba à genoux auprès du bambin. Un hurlement de bête blessée explosa dans sa gorge.

— Je le savais… bredouilla un autre homme, la main crispée sur sa cravache.

— Qu'est-ce que vous saviez, lord Rosebury ? demanda Meredith.

— Je savais que vous étiez une sorcière. Et c'est grâce à vos maléfices que vous avez ensorcelé mon fils !

Meredith le regarda d'un air frondeur.

— Je n'ai eu nul besoin de sortilège, lord. Morris m'aime…

— Taisez-vous ! ordonna lord Rosebury.

— Me taire n'empêchera jamais Morris de m'aimer comme un homme aime une femme… poursuivit néanmoins Meredith.

La cravache, abattue avec colère par lord Rosebury, l'interrompit et laissa une zébrure cuisante sur son visage. Les yeux brillants de larmes, elle resta immobile.

— Frappez-moi, sir… fit-elle entre ses dents. Frappez-moi autant que vous le voulez. Mais le cœur de votre fils est désormais mien !

— Comme le cœur de ce malheureux enfant et de tous les autres que vous avez massacrés ? Car il n'est pas le seul, Meredith, n'est-ce pas ? Toutes ces disparitions… c'est vous !

Ces mots dits, lord Rosebury envoya à Meredith un coup qui la jeta à terre. Elle se redressa sur les coudes, prête à en découdre. Puis, subitement, elle sembla capituler. Les poings des deux hommes et la cravache de lord Rosebury se mirent alors à pleuvoir sur elle, déchirant la peau, brisant les os.

Pas un cri, pas un gémissement ne résonnaient dans la petite maison. Seuls les halètements rageurs des justiciers faisaient vibrer les murs au fur et à mesure que Meredith faiblissait. Quand ils s'arrêtèrent enfin, trempés de sueur, sa vie ne tenait plus qu'à un fil. Lord Rosebury l'enjamba, mais ne put éviter la flaque de sang s'étalant autour de Meredith. Ses bottes laissèrent des empreintes sanglantes sur le sol pendant qu'il sortait de sa poche intérieure une dague effilée.

D'un coup sec, il l'enfonça dans le ventre de Meredith, la retira et l'essuya à l'un des plis de la robe avant de la ranger dans sa redingote.

Puis il alluma une torche.

— Venez… dit-il aux deux hommes, dont l'un tenait contre lui le bambin mort.

Au plus profond de cette nuit sans étoiles, la torche de lord Rosebury caressa la maison et le feu l'engloutit bientôt devant les trois justiciers insensibles aux cris de Meredith. C'est quand son démon surgit au sein des flammes que l'horreur de la situation leur apparut. Ils reculèrent et manquèrent de tomber à la renverse lorsque la voix, comme dédoublée, à la fois humaine et surnaturelle, retentit.

— Toi, Rosebury ! interpella le démon, dressé devant le lord. Tu vas payer pour ton crime et tes descendants paieront eux aussi après toi ! En ce jour funeste, le douzième du douzième mois, est annoncé le commencement de la malédiction de Meredith O'More à l'encontre des douze générations de Rosebury à venir…

Et le démon réintégra les flammes dans un fracas d'étincelles, laissant lord Rosebury tremblant d'horreur.

Les mots ramenèrent Susan et ses compagnons dans le caveau glacial et continuèrent l'histoire :

Le matin, alors que l'aube naissait à peine, Morris, fou de douleur à l'annonce de la mort de Meredith, se rendit en plein bois. Là, près des décombres fumants de la petite maison forestière, il mit fin à ses jours en s'enfonçant un poignard dans le cœur.

Mais la Mort en avait décidé autrement. Après avoir refusé à Morris l'entrée de son Royaume, elle remit le jeune homme entre les mains griffues du démon de Meredith, venu le chercher.

Un pacte fut alors passé.

Morris pourrait ramener Meredith à la vie. Bien entendu, il devait céder son âme au diable pour retrouver Meredith et son amour, intact, ardent.

Alors sans l'ombre d'une hésitation, il accepta.

Et c'est de sa main, celle d'un mort-vivant, que s'enclencha la malédiction, quelques heures seulement après sa déclaration.

Morris tua d'abord son père avec le poignard dont il s'était servi pour interrompre sa propre vie. Puis, ainsi que l'exigeait le pacte, il tua sa mère.

Les âmes de ses deux parents dorénavant captives, il restait à s'emparer de celles des onze prochains descendants Rosebury et de leur conjoint.

Onze âmes de Rosebury, dont la dernière clôturerait enfin la malédiction et célébrerait les retrouvailles de Morris et de Meredith O'More.

* * *

Le caveau était à nouveau plongé dans la pénombre fantomatique. Du cimetière émanait cette odeur de terre grasse et humide que la fraîcheur de l'air rendait encore plus prégnante. Mais Susan, Eliot et Alfred ne prêtaient attention ni à la température ni à aucun détail de leur environnement. Sous le choc de ce qu'ils venaient de voir et d'entendre, ils restaient paralysés à l'intérieur de l'édifice mortuaire – de même que Georgette, d'habitude si frétillante.

Un souffle s'éleva bientôt, sonore quoique aussi ténu qu'un murmure. Des lambeaux de brume rampèrent sur le sol, se faufilèrent entre les barres torsadées de la grille du caveau jusqu'aux chevilles des visiteurs.

Susan… Susan…

S'entendant interpellée, la jeune fille jeta un coup d'œil aussi furtif que soucieux à ses compagnons.

La voix reprit de plus belle :

Tu dois observer la plus grande prudence, Susan, car Morris et la puissance maléfique du démon de O'More rôdent autour de toi, cherchant à te capturer afin que s'accomplisse la malédiction. Reste sur tes gardes car, pour parvenir à leurs fins, ils peuvent agir sur ton corps, tes sens, ton imagination et ta mémoire...

Alfred se rapprocha de Susan et posa la main sur son épaule.

Ce démon est issu de la pire des blessures : l'humiliation d'être méprisé par des êtres qui étaient à ses yeux plus faibles que lui.

Je serai à tes côtés, mais mon aide sera dérisoire dans cette lutte que tu dois mener contre les puissances des ténèbres et les esprits mauvais... Ce sera à toi de choisir ton chemin, tu es libre d'accepter mes avertissements ou de les ignorer.

Quoi que tu décides, Susan, garde bien cela dans ton esprit : tu es et resteras à jamais maîtresse de tes choix...

Alfred et Georgette furent les premiers à disparaître, volatilisés par leur propre réveil. En les retirant, Eliot fit tomber ses lunettes de ski sur le sol du caveau. Susan eut juste le temps d'apercevoir son regard effaré que, déjà, il n'était plus là.

17.

Susan était réveillée depuis un bon moment quand Eliot frappa à la porte de sa chambre. À vrai dire, une fois de retour dans son lit, elle ne s'était pas rendormie – et pas seulement parce qu'on était en plein milieu de l'après-midi. La sieste avait été courte, une demi-heure tout au plus, mais si éprouvante... Tous ces mots, ces images, cette histoire... L'avertissement final... La jeune fille se sentait nauséeuse.

— Viens, Eliot ! lança-t-elle en se redressant pour s'asseoir au bord du lit.

Le garçon entra et s'assit en tailleur dans un fauteuil.

— Ça va ?

— Bof... fit Susan avec une petite moue.

— C'est complètement dingue, hein ? renchérit-il.

En se fermant comme une huître, Susan jeta Eliot dans l'embarras. Elle se tenait face à lui, les yeux baissés, l'air préoccupé et lointain, si lointain. Et pourtant, comment faire l'impasse sur ce qui venait de se passer ? Il fallait bien en parler !

Lui, en tout cas, se voyait mal feindre de ne rien savoir.

Susan eut un frémissement. Elle regarda Eliot comme si elle découvrait sa présence à ses côtés. Elle secoua la tête avec une certaine incrédulité et se pencha pour saisir les lunettes de ski posées sur la table de nuit.

— Tiens ! s'exclama-t-elle en les lançant à Eliot qui les rattrapa de justesse. Tu avais oublié ça... là-bas...

— Merci ! J'aurais eu du mal à expliquer à ma mère que je les avais oubliées dans le cimetière où un rêve m'avait emmené...

Elle lui jeta un coup d'œil dans lequel il crut voir un encouragement à poursuivre, malgré la réticence que toute sa personne exprimait.

— Un rêve ? murmura-t-elle.

Eliot inspira profondément, décontenancé.

— Si j'ai pu ramener tes lunettes, c'est qu'il ne s'agit pas d'un simple rêve, Eliot...

— Tu en doutais ?

— Non... Mais je l'espérais quand même un peu. Ça aurait été plus simple...

Son visage se ferma à nouveau. Elle semblait si tendue, presque en colère, qu'Eliot observait la plus grande prudence.

Soudain, elle explosa :

— Arrête de tourner autour du pot, maintenant, et dis-le ! cria-t-elle d'un ton agressif. Dis ce que tu crèves d'envie de me demander !

Eliot se contracta et ramena les genoux sous son menton. Les yeux de Susan avaient retrouvé le même éclat que lorsqu'elle s'était évanouie chez Alfred, au moment de l'ouverture de la figurine. Et cette ardeur, inquiétante, bloquait Eliot qui n'avait pas l'habitude d'être malmené ainsi. Tout le monde était toujours si prévenant avec lui ! Il n'y avait guère que Susan pour l'aborder comme quelqu'un de *normal*.

— Je sais ce que tu penses... fit la jeune fille.

Sa voix était sourde, étouffée par une colère qu'elle essayait tant bien que mal de réprimer. Mais ses efforts étaient si visibles et si vains qu'Eliot ne put résister.

— Le lien qu'on cherchait... commença-t-il.

L'œil droit de Susan s'enflamma.

— Ce n'est pas seulement le manoir, poursuivit-elle à sa place. C'est moi aussi...

— Qu'est-ce que tu sais de tes parents ? l'interrompit Eliot.

— Rien de plus que ce que tu as entendu lorsque M. Craig parlait à *tes* parents, répondit Susan.

Eliot s'agita et la dévisagea.

— Non, Eliot, si c'est ça que tu n'oses pas me demander, je n'ai jamais cherché à en savoir davantage ! lança Susan à brûle-pourpoint. Ça te va comme réponse ?

Contre toute attente, le jeune homme ne se laissa pas démonter.

— Mais il y a peut-être moyen d'apprendre des choses intéressantes !

Sur ce, il bondit et sortit de la chambre à toute vitesse. Susan se laissa tomber en arrière. Allongée de tout son long sur son lit, elle ferma les yeux.

Voulait-elle *vraiment* savoir ?

* * *

Que pouvait faire Eliot ? Que devait-il dire pour soulager Susan de la peine qui l'accablait ?

De simples actes administratifs avaient suffi pour faire voler en éclats l'illusion que Susan avait droit à sa chance, elle aussi, comme n'importe qui.

Elle reprit en main les papiers qu'Eliot venait d'emprunter dans le bureau de sa mère. Des remords plein le cœur, le garçon n'osait plus regarder celle qui, en quelques jours, était devenue sa raison de vivre, celle qui resterait son premier et unique amour, il le savait.

Pourquoi avait-il tout gâché ?

Qu'est-ce qui lui avait pris d'aller chercher ces maudits documents ?

Il n'aurait pas pu éviter de se mêler de ce qui ne le concernait pas ?

Devant lui, Susan lisait et relisait les mots, les noms à cause desquels tout venait de basculer. Elle reposa les papiers à côté d'elle et Eliot crut qu'elle allait se fermer définitivement. Mais un filet de voix jaillit soudain de sa bouche.

— Acte de naissance n° 1284, récita-t-elle de mémoire. Le 5 novembre à sept heures vingt minutes est née, à l'hôpital d'Inverness, Susan Grace Mary, de sexe féminin... Reconnue par Daniel Prescott, souffleur de verre, né le 16 mars à Inverness...

Elle reprit son souffle avant de poursuivre d'une voix encore plus tremblante :

— Acte de décès n° 54608, le 12 décembre, Oak Street 54, Loch Hills, à trois heures cinquante, est décédé Daniel Prescott, souffleur de verre, né le 16 mars à Inverness... Acte de décès n° 54609, le 12 décembre, Oak Street 54, Loch Hills, à trois heures cinquante, est décédée Emma Prescott, parfumeuse, née Rosebury le 7 mai à Dundee...

Elle se recroquevilla à l'extrémité du lit avant de rouler sur le côté, petit être blessé, inconsolable.

— Daniel Prescott, répéta-t-elle. Souffleur de verre, décédé le 12 décembre... Emma Prescott, née Rosebury, parfumeuse, décédée le 12 décembre...

* * *

— Susan ? Tu ne peux pas rester comme ça, dis quelque chose...

Eliot avait hésité à se rapprocher du lit sur lequel Susan restait prostrée, enfermée dans le chaos de son esprit. Il aurait voulu la prendre dans ses bras, caresser ses cheveux, lui murmurer des mots qui l'auraient consolée. Des gestes simples, et pourtant si difficiles... Il osa cependant avancer la main, avec tant de prudence qu'il pensa un instant que Susan ne s'apercevrait de rien.

C'était mal la connaître. N'étant pas plus habituée aux contacts physiques qu'aux relations affectueuses, la moindre initiative d'autrui à son égard pouvait la pousser à réagir exagérément. En sentant la pression de la main d'Eliot sur son épaule, elle sursauta et se dégagea sans délicatesse.

— Excuse-moi... Susan... bredouilla Eliot.

Les yeux humides, il se détourna.

— Je suis une Rosebury, Eliot... dit-elle dans un souffle. Et ce manoir est le manoir de mes ancêtres. Tu vois ce que ça veut dire ?

Sa voix s'était durcie. Eliot ne répondit pas. Il aurait fallu un sacré courage pour le faire.

Il ne répondit pas, mais il savait.

Susan n'était pas ici par hasard.

Avec l'effet d'un coup de couteau assené par le destin, ils en avaient la preuve maintenant.

* * *

Démon-fille du diable...

Le lien était si facile.

Tout est fichu, se disait Susan en suivant mécaniquement Eliot sur le chemin qui menait chez Alfred.

232

Le vieil homme les attendait. Frustré de n'avoir pu vivre le rêve jusqu'au bout, il pressa les deux ados de questions.

— Comment allez-vous ? Vous n'avez rien ? Vous n'êtes pas blessés ? Oh… je me suis tellement inquiété… Qu'est-ce qui s'est passé ensuite ? La voix s'est-elle encore adressée à toi, Susan ? As-tu une idée de la raison pour laquelle elle t'a mise en garde de la sorte ?

Susan se mit à respirer bruyamment, alors qu'Eliot essayait d'attirer l'attention de son grand-père… pour qu'il se taise ! Mais Alfred, emporté par sa curiosité, ne voyait rien.

— Avais-tu déjà entendu parler de Meredith O'More ? Et de ce Morris Rosebury ?

Il se courba en avant pour mettre son visage face à celui de Susan et, les yeux écarquillés, il murmura d'une voix gutturale :

— As-tu la moindre idée de ce que tout cela peut signifier ?

Devant l'air soudain fermé de Susan, Alfred parut troublé. Il chercha à croiser à nouveau son regard. Peine perdue : elle avait baissé les paupières et l'évitait avec une détermination pleine de rage.

— Susan ?

Il chuchota avec précaution :

— Que sais-tu de ton histoire ?

Susan restait de marbre.

— Miss Susan ?

La douceur du ton d'Alfred, la sollicitude, l'intérêt et le souci qu'il manifestait à son égard, tout cela était beaucoup.

Beaucoup trop.

— Vous n'avez qu'à demander à votre petit-fils ! explosa-t-elle soudain. Lui, il sait tout !

Face à Alfred, un visage d'ange en colère.

Brillant de deux éclats opposés, un regard à la fois consumé par les flammes de l'enfer et la détresse la plus abyssale.

Susan se leva d'un bond et se précipita vers la porte qu'elle ouvrit à la volée, puis referma avec une violence qui l'étonna elle-même.

Le silence retomba. Mais pas sa rage. Assise sur le muret qui entourait la petite maison gothique, les jambes ramenées contre elle, elle se pinça fortement l'intérieur de l'avant-bras, là où la peau est si tendre.

Qu'est-ce qu'il croit, ce vieux maboule ? Que j'ai envie d'étaler mon histoire devant n'importe qui ? Elle est pourrie, mon histoire. Pourrie depuis le début. Si je suis ici, ce n'est pas parce que Helen ou Eliot m'ont choisie. C'est à cause de cette foutue malédiction... C'est elle qui m'a attirée jusqu'ici...

Elle leva la tête et aperçut Eliot et Alfred en pleine discussion. Alfred porta la main à sa bouche.

Et voilà... Il sait tout, maintenant...

Un sanglot enraya sa respiration. Elle essaya de le résorber, de le chasser, d'en faire de la bouillie en se raclant la gorge jusqu'à s'en faire mal. Rien à faire. Le visage enfoui entre les genoux, elle poussa un cri étouffé.

* * *

— Allez, Susan, viens...

La main posée sur son épaule était chaude et juste assez ferme pour l'arracher à la brutalité de ses pensées. Pourtant, elle frissonna.

— Il commence à pleuvoir, fit Eliot.

Susan faillit lui répondre qu'elle n'en avait *fichtrement* rien à faire et qu'elle préférait attraper une pneumonie plutôt que de discuter avec un vieux sénile de choses dont elle n'avait vraiment pas envie de parler.

Foutez-moi la paix !

— Grand-père dit qu'un thé nous fera fichtrement du bien et je suis assez d'accord avec lui. Pas toi ?

Non mais je rêve ou il vient de dire « fichtrement » !

En d'autres circonstances, cette coïncidence aurait pu paraître amusante. Mais, dans la situation présente, elle trouvait une tout autre signification.

Ces gens, les Hopper, prenaient de l'importance dans la vie de Susan. Elle n'était pas là depuis longtemps, et pourtant elle connaissait déjà certains de leurs usages, certains de leurs rituels. Et même s'ils paraissaient parfois étranges, elle les aimait. Déjà.

Peut-être même les aimait-elle depuis toujours...

C'est pourquoi la remarque d'Eliot – avec la mention du mot typiquement « alfredien » qu'elle venait elle-même d'utiliser – agita son esprit comme une main aurait ébouriffé ses cheveux.

Le sanglot, trop longtemps contenu, explosa. Elle fondit en larmes.

* * *

Elle ne fit pas un geste pour empêcher Eliot de la serrer dans ses bras. Pris au dépourvu malgré son audace, le garçon osa à peine poser les mains sur elle et la laissa se blottir dans le creux de son épaule.

Elle craquait.

Profitait-il de la situation ? Devait-il avoir mauvaise conscience ?

N'agissait-on pas ainsi quand quelqu'un qu'on aimait n'allait pas bien ? Il n'avait pas une expérience folle en la matière, mais il lui semblait que c'était exactement ce qu'il fallait faire.

Sa combinaison crissait.

Susan sanglotait.

La pluie tombait en faisant flic-floc.

Alfred les regardait par la fenêtre, si triste.

Leur cœur était aussi gris que le ciel.

Eliot prit le visage de Susan entre ses mains et, du pouce, il essuya les gouttes de pluie et les larmes mêlées qui rendaient ses joues luisantes. Le regard qu'elle lui adressa lui semblait être celui de quelqu'un à la dérive au milieu d'un océan battu par des vagues ténébreuses. Il frémit. Il était aussi effrayé que fasciné par cette flamme vibrant au fond de son œil droit.

Susan renifla, presque bruyamment, et secoua la tête.

— On va la boire, cette tasse de thé ? fit-elle en se détournant.

— Oui...

Bouleversé comme il l'était, qu'est-ce qu'Eliot pouvait dire d'autre, de toute façon ?

* * *

— Voilà qui va te requinquer, miss Susan !

Susan regarda Alfred verser un thé fumant dans les trois tasses. Ses yeux s'embuèrent, éteignant la flamme qui les ravageait pour la remplacer par une autre, plus fragile. Alfred n'était pas qu'un vieil original un peu fou, un peu curieux. Il était réellement quelqu'un de très gentil. Et tant de gentillesse pouvait ébranler la plus solide des filles du diable.

Après quelques gorgées du liquide parfumé, la douceur de la tristesse remplaça peu à peu la violence de ses premières sensations. Elle posa les coudes sur la table, son corps se détendit, au point que son dos s'arrondit comme la carapace d'une tortue.

— J'ai toujours cru que c'était ma faute... lâcha-t-elle soudain.

18.

Le ton de Susan était si triste, elle dégageait un tel accablement qu'Alfred et Eliot se rapprochèrent, intrigués et compatissants.

— Qu'est-ce que tu veux dire, Susan ? demanda Eliot avec délicatesse.

— La mort de mes parents... J'ai toujours cru que c'était ma faute, précisa la jeune fille.

Surpris, Eliot hésita, puis énonça à toute vitesse d'une voix atone :

— La maison où tu habitais avec tes parents a pris feu. Ils sont morts dans l'incendie. Toi, tu as survécu, par miracle. Tu avais trois ans. Tu... tu ne peux pas être responsable de *ça* !

— Pourquoi dis-tu une telle chose, miss Susan ? intervint Alfred.

— C'est Mme Clarke qui me l'a dit... murmura-t-elle, le visage marqué par la colère contenue.

— Qui est Mme Clarke ?

— La mère d'une famille d'accueil chez qui j'ai séjourné quand j'avais six ans. Elle a dit que j'étais la fille du diable et que je ne savais faire que le mal autour de moi.

— Pourquoi a-t-elle dit cela ? poursuivit Alfred.

Le regard de Susan se perdit dans la contemplation des gouttes de pluie qui glissaient le long de la fenêtre.

Qu'est-ce que ça peut bien vous faire ? pesta-t-elle intérieurement.

Mais, à sa plus grande surprise, la bienveillance avec laquelle Alfred la dévisageait l'emporta sur son irritation – décidément, ces gens avaient un vrai pouvoir sur elle, avec toute leur gentillesse, leur attention. Elle s'entendit répondre :

— J'avais fait quelques bêtises.

— Des grosses ? lui demanda Eliot, un brin amusé.

Susan le regarda droit dans les yeux.

— Énormes...

Le sourire qu'ils échangèrent était microscopique, mais résolument complice.

— Eh bien, même d'énormes bêtises ne peuvent mériter qu'on dise de telles monstruosités à une si jeune enfant ! s'énerva Alfred en tapant du poing sur la table. D'autant plus quand elle a subi un traumatisme ! Mais qui sont ces gens ? Ils sont supposés avoir un minimum de psychologie et d'empathie, tout de même ! Cette Mme Clarke mériterait que j'aille la trouver et que je lui dise le fond de ma pensée...

Quoi ? Ce vieux dingue serait prêt à prendre ma défense ? Waouh...

Alfred se passa les mains dans sa tignasse emmêlée.

— Excuse-moi, miss Susan, fit-il. Le comportement de certains adultes soi-disant responsables me met parfois hors de moi.

— C'est pas grave...

— Oh si, ça l'est ! répliqua Alfred. Et tu en es la preuve vivante : à cause de ces paroles d'une incommensurable bêtise, tu as grandi avec la conviction d'être à l'origine d'un drame qu'en réalité tu as subi, et non pas provoqué !

Il se calma tant bien que mal et resservit du thé à tout le monde.

— Alors que tout est arrivé à cause d'une malédiction lancée sur... tes ancêtres... grommela-t-il. Les Rosebury...

J'hallucine... Il dit ça comme si c'était banal d'être poursuivi par le démon d'une malade mentale vieux de trois siècles... Hé ho ! Il faut revenir sur terre, le maboule ! Ce qui vient de se passer est com-plè-te-ment anormal !

— Tu ne t'es jamais dit que tu n'y étais pour rien dans la mort de tes parents ? intervint Eliot.

Susan secoua la tête en signe de négation. Elle comprenait l'horreur et les répercussions capitales que représentait cet épisode dans sa vie, mais il ne suscitait en elle aucune émotion. Cette indifférence était-elle due à l'absence de souvenirs ? Maintes fois, elle avait tenté d'en retrouver au moins un qu'elle aurait abrité sans le savoir tout au fond d'elle. Puis elle s'était résignée : à trois ans, on ne peut rien se remémorer. C'est comme si on n'avait pas de vie tant qu'on n'avait pas de souvenirs. De sa vie d'« avant les souvenirs », il ne lui restait que le parfum, plus précieux que tout ce qu'elle avait possédé jusqu'alors. Le parfum imprégné dans chaque fibre du foulard de sa mère. Ça et les croix rouges sur ses marinières.

À la fois peu et beaucoup.

Elle plongea la main sous sa marinière et en sortit la longue étoffe bleue, chiffonnée et si usée que la trame du tissu était presque transparente à certains endroits.

— Sens ! dit-elle en la tendant à Eliot.

Étonné, le garçon se saisit du foulard et le porta avec précaution à son nez. Il inspira, regarda Susan d'un air interrogatif, inspira à nouveau et le lui rendit.

— Tu as senti ? lança Susan, presque essoufflée tant elle était oppressée. Tu as compris ?

Désolé de ne pouvoir acquiescer, Eliot se mit à triturer sa petite cuiller.

— Le parfum, Eliot ! C'est le même que celui de ta mère !

* * *

Unis par le silence, tous les trois s'entreregardaient, bien que chacun semblât muré dans ses propres pensées.

Alfred, béat d'incompréhension.

Eliot, incapable de voir ce que Susan voulait lui démontrer.

Susan, tremblante de déception.

— Tu ne sens rien ? Vraiment rien ? bredouilla-t-elle.

Eliot brûlait d'envie de lui dire qu'il était impossible que le parfum ait « survécu » à toutes ces années. Mais Susan paraissait si pleine d'espoir… Encore une négation et son amie craquerait, il ne pouvait pas lui infliger cela. Alors, piètre esquive, il baissa la tête.

Susan reprit le foulard et y enfouit le visage en prenant de grandes goulées d'air. Ses yeux s'emplirent de larmes.

Chagrin, frustration, colère. Tout fusionnait sous l'intensité des révélations.

— C'est un foulard qui appartenait à ta mère, miss Susan ? demanda Alfred.

— Oui.

— Et le parfum dont tu parles, fit enfin Eliot, c'est celui que tu cherchais depuis si longtemps jusqu'à ce que ma mère vienne au Home d'enfants ?

Il a compris ! s'exclama en pensée Susan.

Alfred siffla entre ses dents tout en dodelinant de la tête.

— Résumons pour y voir plus clair : miss Susan, tu es une descendante des Rosebury, les anciens propriétaires du manoir occupé aujourd'hui par nous, les Hopper. Les Rosebury subissent une malédiction depuis plus de trois siècles, malédiction qui emporte tous les descendants et leur conjoint ou conjointe, un 12 décembre, et qui laisse chaque fois derrière elle un orphelin, ou une orpheline. Par ailleurs, tu as reconnu sur Helen le parfum de ta mère...

Il posa sur les deux ados un regard plein d'attente.

— Ai-je raison ou bien suis-je définitivement à côté de la plaque ? insista-t-il devant leur silence.

— Pourquoi Helen porte-t-elle le parfum que mettait ma mère ? s'emporta Susan, l'œil droit à nouveau flamboyant. Comment une telle chose est possible ? Ça ne peut pas être un hasard...

— Tu es vraiment sûre que c'est le même ? renchérit Eliot avec d'infinies précautions. On ne sent plus rien sur le foulard, peut-être que ta mémoire te fait défaut...

Reste calme... Surtout, reste calme... Ne te fais pas passer pour une hystérique...

— Eliot ! martela-t-elle, les deux mains agrippées à la table. Pas la peine de tourner en boucle : c'est le même parfum ! Et c'est ce parfum qui m'a amenée jusqu'ici.

Sa voix devint plus grave, plus sourde, quand elle en arriva à cette évidence :

— Jusqu'à vous...

* * *

Chaque seconde qui passait la faisait hésiter davantage. Elle ne doutait pas de ce qu'elle venait d'annoncer : le parfum de sa mère et celui d'Helen étaient les mêmes.

Incontestablement.

Non. Ses doutes portaient sur Eliot et Alfred. Ou plutôt sur *leurs* doutes vis-à-vis d'elle. Comment arriver à les convaincre qu'elle ne délirait pas ? C'était sa parole contre... contre quoi ? Contre une réalité qui s'acharnerait à jeter ses certitudes à terre ?

Oui. Eliot avait raison. Le parfum avait sûrement disparu au fil des années. C'était logique et, tout bien considéré, inévitable. Pourtant, Susan savait qu'il l'imprégnerait jusqu'à sa mort. Il faisait partie d'elle. Comme ses yeux vairons, ses années au Home, la mort de ses parents, elle ne s'en détacherait jamais.

Sa détermination ravivée, elle se tourna soudain vers Eliot.

— Tu sais où ta mère range son flacon de parfum ? lui demanda-t-elle.

Eliot acquiesça et se leva, invitant Susan à le suivre.

— Soyez prudents, mes enfants ! leur conseilla Alfred. Si Mme Parfaite vous prenait en flagrant délit de fouille dans ses affaires, une seconde malédiction pourrait bien être lancée...

En dépit de la gravité de la situation, Susan lui adressa un petit sourire reconnaissant et se précipita aux côtés d'Eliot.

19.

Le bruit sourd et régulier d'un marteau résonnait jusque dans le hall d'entrée, attestant la présence d'Helen dans son atelier, à l'extrémité du
rez-de-chaussée. La voie était libre.

Susan et Eliot s'engagèrent à pas de loup vers
l'étage. L'infaillible Georgette les accompagnait
avec tant d'enthousiasme qu'on aurait pu croire
qu'elle vivait le moment le plus fabuleux de toute
sa vie de carlin. Un enthousiasme peu compatible
avec la discrétion à laquelle les deux ados s'astrei-
gnaient : halètements, hoquets, grognements de
bonheur... On entendait la petite chienne de loin.
Quand Eliot la prit dans ses bras, il eut droit à un
fervent coup de langue.

— Et hop, une petite léchouille... murmura-t-il
en s'essuyant du revers de la main.

Ils passèrent devant leurs chambres respectives
et poursuivirent leur chemin jusqu'au bout du
couloir. Susan ne s'était pas encore aventurée
aussi loin. Dans toutes les familles chez lesquelles
elle avait séjourné, la chambre des parents repré-

sentait un endroit sacré, un véritable sanctuaire interdit aux enfants – mis à part dans les familles où ces derniers avaient le droit de venir se blottir au creux du lit parental quand ils avaient fait un cauchemar, ou bien le dimanche matin pour un gros câlin collectif. Mais Susan, elle, s'en était toujours abstenue. Aussi fut-ce le cœur battant qu'elle pénétra à l'intérieur de la chambre d'Helen et de James.

* * *

Le parfum flottait dans la lumière tamisée de la pièce, comme intégré dans les rais du doux soleil de fin d'après-midi que laissaient passer les petits carreaux des fenêtres. De même que dans toute la maison, les meubles, cossus et confortables, inspiraient un sentiment de solidité, de permanence. Le lit trônait au centre, couvert d'un dessus-de-lit qui semblait peser une tonne, et surmonté d'un ciel de lit en bois sculpté. De chaque côté, les tables de nuit assorties ressemblaient à des oreilles aux aguets.

La pièce était si bien rangée, si parfaite qu'on aurait pu la croire inoccupée, un peu comme les photos des magazines de décoration ou les modèles exposés dans les magasins de meubles. Seule la coiffeuse, avec son léger désordre, trahissait une occupation humaine. Susan s'en approcha sans qu'Eliot ait eu besoin de lui signaler quoi que ce fût : le parfum d'Helen se trouvait là, enfermé dans un flacon dont la forme étrange suscitait un certain trouble.

La jeune fille s'en saisit, la respiration hachée, et l'observa.

— On dirait un cerveau, lui fit remarquer Eliot.

— *C'est* un cerveau… murmura-t-elle.

— Bizarre pour un flacon de parfum…

Les mots du garçon ne semblèrent pas arriver jusqu'à Susan dont le visage exprimait une souffrance inquiète. Elle tournait le flacon entre ses mains, en détaillait les nodules de verre bleuté qui affleuraient sur toute sa surface, tentait d'apercevoir l'intérieur en le regardant en transparence à la lumière du jour. Quand elle le retourna, la lueur au fond de son œil droit s'alluma à nouveau, minuscule signal déclenchant une alarme intérieure. Elle approcha l'objet pour déchiffrer les indications finement gravées, presque effacées.

— Tu vois quelque chose ? demanda Eliot, tracassé par l'attitude tendue de Susan.

Elle déchiffra d'une voix sourde :

— Re-con-nais-san-ce… Reconnaissance…

— Ça doit être le nom du parfum, commenta Eliot. C'est plutôt joli.

— Création de E. P.-R. et D. P., poursuivit Susan.

Ses bras retombèrent soudain le long de son corps, alors que ses épaules s'affaissaient. Accablée, elle faillit lâcher le cerveau de verre.

— Emma Prescott-Rosebury et Daniel Prescott… Mes parents… en déduisit-elle dans un souffle.

— Susan…

Devant le regard plein de détresse de son amie, Eliot ne savait que dire. Il voyait le visage de la jeune fille, de plus en plus assombri, au fur et à mesure que les pensées cheminaient dans son esprit. L'issue de ce cheminement, ils la connaissaient tous les deux.

Susan n'avait pas été « choisie » par les Hopper.

Elle n'était pas au manoir parce qu'ils voulaient qu'elle y soit.

Le parfum était à l'origine de tout. C'était lui qui avait conduit Susan ici.

Lui et seulement lui.

Sous le choc, Susan pressa sur le vaporisateur scellé dans la partie supérieure du flacon. Une bouffée du parfum si cher à son cœur et à tout son être se diffusa en un nuage de microscopiques gouttelettes, dispersant les effluves que Susan reçut comme une caresse, impalpable et pourtant bien réelle.

Elle ferma les yeux, le parfum s'insinua dans les méandres de son esprit et, après en avoir pris intégralement possession, ouvrit en grand une des portes de sa mémoire, jusqu'alors fermée à double tour.

* * *

Elle sut aussitôt que c'était la maison qu'elle avait habitée, petite. Elle ne les reconnut pas, mais elle comprit que cet homme, en train de souffler du verre devant le feu, était son père. Et que cette femme plus loin, affairée devant des centaines de tubes, était sa mère. Des étincelles jaillirent autour de la boule de verre incandescente que son père tenait au bout d'une longue canne creuse. Quand il souffla dedans, un rire d'enfant jaillit et le regard de l'homme se mit à pétiller. Le bruit de petites mains en train d'applaudir résonna, accompagné par des cris de joie.

C'était clair.

C'était net.

Susan avait à peine trois ans. Son père fabriquait un flacon de verre et, comme chaque fois que les étincelles crépitaient, elle l'acclamait.

Il faisait toujours chaud dans la maison, le feu y brûlait en permanence. Et il y sentait toujours bon, les innombrables huiles essentielles l'embaumaient.

Susan s'en souvenait maintenant.

Tout comme elle se souvenait de la dernière fois où elle avait ressenti cette chaleur et ce mélange incroyable de senteurs. La maison brûlait et elle, minuscule petite fille agenouillée sur son lit, regardait le spectacle flamboyant, beaucoup plus impressionnant que celui auquel elle était habituée quand elle regardait son père travailler. Il avait fait les choses en grand, cette fois-ci. Ces étincelles, les flammes qui couvraient les murs et le plafond, ce rugissement de fauve, c'était si beau !

Comment aurait-elle pu s'empêcher d'applaudir ?

Grisée par cette réminiscence, elle regarda le flacon qu'elle tenait toujours au creux de sa paume. Les ramifications se mettaient en place et les interrogations qu'elle avait toujours écartées, par instinct, s'évanouissaient d'elles-mêmes face aux révélations offertes aujourd'hui par un passé loin d'être révolu.

Un passé qui n'avait jamais été aussi présent.

Quand elle se mit à presser frénétiquement le vaporisateur, Eliot paniqua.

— Susan, arrête !

Mais Susan ne l'entendait pas. Elle pressait, pressait sans pouvoir contenir la fièvre la poussant à agir ainsi, avec cette folie aussi noire et collante que la suie.

— Susan, tu vas vider le flacon ! fit Eliot.

Paniqué, il attrapa la main de la jeune fille et tenta de lui arracher le flacon des mains. Elle lui jeta un regard perdu, incandescent, et le repoussa d'un geste dont la brusquerie inattendue faillit le faire tomber. Devant lui, dans un état second, Susan continuait de pulvériser le parfum, le nez en l'air, humant comme un animal à l'affût. Et lui ne pouvait faire autre chose que d'espérer que cette crise passe le plus vite possible. Si sa mère débarquait, les conséquences seraient terribles.

Quant à Susan, le parfum agissait sur elle comme un véritable envoûtement. Le souvenir de ses trois ans était à la fois si douloureux et si bon. Lorsqu'il commença à s'estomper, elle tenta de le retenir. Mais comment faire ? Elle ferma les yeux à s'en faire mal, si fort qu'elle perçut des étoiles derrière ses paupières vibrantes d'émotion.

Il n'est pas perdu, tenta-t-elle de se raisonner. *Maintenant qu'il est revenu, il ne peut plus partir. Il est quelque part, dans ta mémoire, pour toujours.*

Elle rouvrit les yeux, vit Eliot qui ouvrait la fenêtre en grand, et tout autour des ombres se précipitant sur elle. Résolues, elles forcèrent le passage vers son esprit et le traversèrent dans un souffle glacé, mordant et féroce.

Susan se sentit habitée. Plurielle.

Muette d'horreur, elle vit le passé tordre sans ménagement son présent et obscurcir son avenir.

Tout devint noir.

Elle s'effondra.

20.

Susan le savait bien : Eliot lui avait sauvé la mise. Aucun doute, il avait vraiment assuré, d'abord en l'aidant à regagner sa chambre lorsqu'elle était revenue à elle, puis en remettant tout en place dans la chambre de ses parents où elle avait fichu un sacré bazar. Quand il eut fini de ranger et d'aérer – on pouvait sentir les effluves entêtants du parfum jusqu'au bout du couloir –, il s'empressa d'aller rejoindre Susan.

Mais Susan n'était plus là.

Il passa de pièce en pièce, feignit la désinvolture quand il croisa Mme Pym ou sa mère, fouilla partout.

Bien que le jour fût en train de faiblir, il mit sa combinaison, fit le tour de la maison et se rendit même chez Alfred.

Aucune trace de Susan.

Il hésitait à entrer dans le bois lorsqu'il la vit enfin. Elle émergeait des fourrés, le visage défait, les gestes brusques.

— Susan ! cria-t-il.

Il croisa son regard, à la fois embrasé et perdu, avant qu'elle ne s'enfuît en longeant la lisière de la forêt.

— Susan ! Attends !

Il se lança à sa poursuite. Elle courait vite. Enveloppé dans sa combinaison, Eliot sentait l'entrave du tissu à chaque foulée. Il fut bientôt en nage et dut s'arrêter. Plus loin, Susan fit de même. Elle se tourna dans sa direction.

Lui, les mains posées sur les cuisses, reprenant son souffle.

Elle, droite, les bras le long du corps.

Ils se regardèrent, longuement, le cœur prêt à se décrocher, les poumons en feu. Au-dessus d'eux, des corneilles croassaient pendant que l'humidité du loch et de la terre commençait à prendre possession du jour couchant. Des fenêtres s'éclairèrent sur la façade du manoir, enclaves de lumière chaude dans cette atmosphère lugubre. Une cloche ne tarda pas à retentir. Eliot et Susan sursautèrent : on les attendait pour dîner.

Susan parut hésiter et Eliot profita de ce flottement pour s'approcher. À l'évidence, elle était tentée de fuir, en amorça même le mouvement. Mais la fatigue, les révélations des dernières heures, les désillusions pesaient si lourd en elle... Elle n'avait qu'une envie : se laisser tomber sur l'herbe froide, se rouler en boule et disparaître.

Pas mourir. Juste sortir de cette réalité, s'en écarter. S'effacer de celle-ci pour en trouver une autre, une meilleure. Pourtant, comme avec le passé, comme avec son histoire, elle avait bien compris qu'elle ne s'en déferait jamais.

On reste ce que l'on est.

Les visages heureux de ses parents défilèrent dans sa tête, avec une telle puissance qu'elle pouvait percevoir physiquement ces moments de bonheur pourtant si lointains, la chaleur du feu qui crépitait, les senteurs capiteuses, les caresses de sa mère sur ses joues, les bras de son père quand il la portait. Les rires, les sourires, l'amour... Dès lors qu'elle avait pulvérisé le parfum, elle pouvait sentir qu'ils existaient réellement en elle.

Pour la première fois depuis... toujours.

Elle tomba à genoux et enfouit le visage entre ses mains.

— Susan...

La jeune fille releva la tête. Debout devant elle, Eliot avait retiré ses lunettes de ski et la capuche de sa combinaison. Il la fixait et, étrangement, l'accablement qu'elle lisait dans son regard lui apportait du réconfort. Souffrait-on moins quand on souffrait à deux ? La douleur était-elle moindre lorsqu'on la partageait ?

Eliot ne dit rien. Il tendit juste la main pour l'aider à se relever. Susan écarquilla légèrement les yeux, déroutée par ce geste auquel elle ne savait comment répondre. Épuisée, elle se laissa guider par son instinct et tendit la main à son tour. En carillonnant à nouveau, plus impatiente encore, la cloche interrompit son élan. Susan se redressa et, sans un mot, se dirigea vers le manoir, Eliot à quelques pas derrière elle.

— Susan… murmura-t-il.

Elle frémit.

Helen ne t'a pas choisie. Ce ne sont pas les Hopper qui ont voulu que tu sois là. C'est ce foutu démon.

Cette évidence tournait comme une litanie dans sa tête. Elle prenait place, s'ancrait en profondeur.

— Je suis là à cause de cette saleté de malédiction, Eliot… réussit-elle à dire.

Et elle se mit à courir en direction de la maison.

— Mais moi, je m'en fous de la malédiction ! s'écria Eliot, vibrant de révolte. Je voulais vraiment que tu viennes !

Susan s'arrêta net.

— Moi, je veux que tu sois là, avec nous ! poursuivit le garçon sur le même ton. Avec moi…

Stupéfait d'avoir pu dire une telle chose avec autant de spontanéité, il resta immobile dans l'herbe humide, toute son attention centrée sur la silhouette de Susan.

— Je t'aime… lâcha-t-il, épuisé par le désespoir que lui inspirait la situation.

Un gémissement – à moins que ce ne fût un sanglot – naquit et mourut en même temps dans la gorge de Susan. Muette, elle se retourna et s'éloigna, comme un papillon de nuit, vers les lumières scintillantes des fenêtres du manoir.

* * *

— Tu ne manges rien, Susan ? Il me semblait que tu avais beaucoup aimé les galettes de pommes de terre de Mme Pym la dernière fois...

Helen semblait si soucieuse que Susan avait envie d'en pleurer. Elle battit des paupières pour éloigner les larmes qui montaient.

— Les galettes sont très bonnes, mais je n'ai pas très faim... murmura-t-elle.

Sa voix accusa un tremblement incontrôlé alors qu'elle s'excusait, la tête basse, le regard humide et amer.

Le tintement des couverts contre la porcelaine des assiettes reprit, petits éclats dans le silence crispé. Helen jeta un coup d'œil interrogateur à Eliot. Le garçon plissa les lèvres et prit l'air de celui qui n'avait aucune idée de ce qui se passait. Ce dîner devenait insupportable. Face à sa mère, sourcils froncés, et à Susan, fuyante, il se trouvait dans une position délicate que le poids du secret alourdissait.

Susan tenta de s'esquiver dès la fin du dessert. Mais chez les Hopper, personne ne montait dans sa chambre sans être passé par le salon pour y prendre une tisane ou le fameux lait de poule. On pouvait regarder la télé, ou bien bouquiner, jouer, compter les minutes qui passaient... Peu importait. Plus qu'une tradition, la pause post-dîner était une règle à laquelle nul ne pouvait déroger.

Susan semblait se tasser sur elle-même, racornie par son chagrin. Enfoncée dans un fauteuil aux énormes oreilles, elle restait hermétique à ce qui se passait autour d'elle tout en se disant que ce n'était pas bien, qu'elle avait mis un point d'honneur à ne jamais faire quoi que ce fût de défavorable pour l'image qu'Helen pourrait avoir d'elle. Cependant, loin de la juger, cette dernière ne cachait plus son désarroi.

— Il s'est passé quelque chose ? demanda-t-elle à Eliot en l'entraînant à l'écart. Vous vous êtes disputés ?

— Non, pas du tout, répondit Eliot en chuchotant. Mais je crois que Susan a vraiment besoin qu'on s'occupe d'elle. Ça fait tout de même beaucoup de changements en peu de temps, ce n'est pas évident pour elle…

Le soupir qu'Helen laissa échapper était presque imperceptible. Mais il eut le mérite de remplacer la crispation de son visage par une expression de sincère compassion.

— Bien sûr… murmura-t-elle en rejoignant le salon. Nous allons redoubler d'attention.

* * *

Susan se glissa sous la couette à carreaux, la remonta jusqu'à son nez et inspira profondément tout en caressant l'étoffe. Le tissu était doux comme des pétales de fleur, il sentait bon la lessive, le frais. Rien à voir avec le linge de lit du

Home, empesé comme du papier et embaumant…
l'eau de Javel. Susan ferma les yeux, cédant à la
fatigue causée par le contrecoup des dernières
émotions. Des derniers chocs.

Ébranlée. Écrasée. Broyée.

C'étaient les premiers mots qui lui venaient à
l'esprit pour qualifier l'état dans lequel elle se
trouvait.

Elle rouvrit les yeux. D'un battement de
jambes, elle rejeta la couette et s'assit au bord de
son lit. Hors de question de faire un nouveau
rêve ! C'était au-delà de ses forces. Et pour empêcher que cela arrive, une seule solution : ne pas
dormir. Elle se leva, tourna en rond dans sa
chambre, se jeta dans son fauteuil, bâilla à s'en
décrocher la mâchoire, prit un livre, en lut quelques
mots, le reposa, se releva, alla à la fenêtre, constata
qu'il n'y avait rien d'autre à regarder que la brume
phosphorescente dans la faible clarté lunaire…

La nuit risquait d'être longue.

Elle se rassit sur son lit en s'adossant contre le
montant capitonné et replia les jambes contre son
buste. Instinctivement, elle tapota ses coudes, là
où les croix rouges étaient marquées au feutre. Ses
pensées, pénibles, la poussèrent à prendre sa boîte
en fer rangée dans le tiroir de la table de nuit. Elle
l'ouvrit, toucha du bout des doigts l'étoffe du foulard bleu et l'image. Les deux seules choses qui la
rattachaient à son passé.

Non. Maintenant, elle avait des souvenirs, aussi.

Elle prit l'image pieuse. Les coins étaient un peu usés, quoi de plus normal après toutes ces années à être trimballée à droite et à gauche. Les objets, comme les gens, s'abîmaient avec le temps et les épreuves.

Pendant longtemps, elle crut que la femme représentée était sa mère. Puis, quand elle sut lire, elle déchiffra l'inscription au dos de l'image : « Notre Sainte Vierge Marie. » Elle posa des questions, on lui répondit, mais les explications ne lui convenaient pas. Cette femme était vraiment la mère de tous ? Susan n'était pas d'accord du tout. Elle voulait une mère pour elle toute seule, pas une qu'elle doive partager avec l'humanité tout entière. Et puis quoi encore ! Aujourd'hui, elle connaissait le fin mot de l'histoire et ne se sentait pas le moins du monde concernée par ces affaires de religion, de foi, de croyance universelle et patati et patata. Pourtant, elle avait gardé la petite gravure et continuait de s'adresser à elle quand elle en éprouvait le besoin.

Et ce soir, le besoin était plus sérieux que jamais.

— Je vous en ai toujours voulu, murmura-t-elle, l'image entre les mains. À vous et à Dieu. D'abord, vous m'avez pris mes parents et, même si on m'a dit qu'il fallait toujours respecter votre volonté, moi, je trouve que vous avez été injuste parce que je ne vous avais rien fait, et mes parents non plus, j'en suis sûre. Ensuite, on m'a dit que vous voyiez et que vous entendiez tout. Alors, vous savez sans doute que j'ai souvent voulu cracher dans le bénitier et sur la croix de votre fils tout-puissant. J'ai même pensé à tout casser dans la maison de Dieu. Je vous ai maudite et traitée de pauvre minable parce que je vous ai appelée, plusieurs fois, et vous n'avez jamais levé le petit doigt pour moi. Pas une seule fois. Alors, si vous êtes aussi pleine de bonté qu'on le dit, il faut que vous m'aidiez, juste une fois. J'en peux plus, je vous assure, je voudrais tellement être tranquille... Je suis si bien chez les Hopper, aidez-moi, s'il vous plaît. Après, je vous promets que je me tiendrai tranquille et que vous n'entendrez plus jamais parler de moi.

Elle fit une sorte de signe de croix – tout ce qui pouvait multiplier ses chances d'être écoutée était bon à prendre – et, étourdie par l'intensité de sa supplique, elle renversa la tête en arrière, les yeux fixés au plafond. Puis elle lissa soigneusement l'image et la glissa dans la poche de son pyjama.

* * *

Il ne faut pas que je m'endorme. Il ne faut vraiment pas.

Si elle restait là, c'était bien ce qui risquait d'arriver. Alors elle se leva, ouvrit la porte et s'engagea dans le couloir plongé dans l'obscurité.

Entre les grincements, bruissements, chuintements et autres craquements, le silence n'était jamais total dans ce manoir. À tel point qu'on aurait pu croire qu'il avait été construit sur des fondations mobiles, mouvantes, et qu'il s'en plaignait, comme s'il souffrait de rhumatismes. Susan avança, cernée par tous ces bruits, les sourcils froncés. Une latte de parquet craqua sous ses pieds, elle crut entendre son écho se propager à l'infini et se surprit à souffler un « chhuutt » tout à fait inutile.

Les escaliers sentaient merveilleusement bon, mais la cire appliquée par Mme Pym le matin même les rendait très glissants, surtout quand on portait des chaussettes. Après avoir failli dévaler les marches sur les fesses, Susan s'accrocha à la rampe, presque étourdie par les battements de son cœur. Une fois dans la cuisine, elle s'autorisa à allumer la lampe de la hotte aspirante et entreprit de se faire un café. Elle n'en avait jamais bu, mais elle savait que les adultes y avaient souvent recours pour se réveiller ou pour se donner un petit coup de fouet. Une dosette, une tasse, une pression sur le bouton *on*, et quelques secondes plus tard un bruit épouvantable digne de celui d'une tondeuse à gazon. Paniquée, Susan se jeta sur l'appareil et l'enserra de ses bras pour tenter d'étouffer le vrombissement. Quand il s'arrêta, la jeune fille était en nage. Elle tendit l'oreille, persuadée d'avoir ameuté tout le monde – Alfred inclus. Mais à part les jappements de Georgette, bannie dans le cellier par Helen, le manoir restait plongé dans le sommeil. Susan hésita un instant, puis se décida à libérer la petite chienne.

— Salut *Zorzette* ! murmura-t-elle en plongeant son visage dans la fourrure beige.

Étrangement, le grognement, peu raffiné mais heureux, de l'animal la toucha. Elle s'attachait, même à cette bestiole...

— Bon, voyons ce café, fit-elle.

La première gorgée lui arracha une grimace. C'était infect. Cependant, elle vida sa tasse. Si elle devait en passer par là pour rester éveillée, elle était prête à en boire un litre !

Désœuvrée, elle déambula dans le couloir du rez-de-chaussée. L'atmosphère s'avérait encore moins rassurante qu'à l'étage : les fenêtres du hall, parées de vitraux multicolores, laissaient passer l'ombre changeante des branches d'arbre et inscrivaient des taches de couleur sombre sur les murs, les tapis, le plafond. Susan prit Georgette dans ses bras et la serra contre elle. La chienne lui octroya un bon coup de langue avant de la contempler de ses grands yeux humides et apeurés.

— Tout va bien, ma petite grosse, chuchota Susan en reprenant le qualificatif employé par Eliot.

Elle aurait pu se rendre dans le petit salon pour regarder la télé pendant un moment, ou bien dans la bibliothèque pour bouquiner. Non. C'était l'atelier d'Helen qui l'attirait, presque malgré elle. Georgette gémit. Les ombres des branches griffaient les murs, alors qu'un courant d'air glacé glissait sur le sol. Tout incitait Susan à faire demi-tour et à regagner sa chambre. Pourtant, elle continua d'avancer. Sans vraiment choisir, sans tout à fait décider.

Il y avait quelque chose dans l'atelier d'Helen. Quelque chose qui l'attendait.

Ou plutôt quelqu'un.

* * *

Elle n'eut pas besoin d'allumer, une lanterne ancienne éclairait déjà la pièce d'une faible lumière dorée. Moins surprise que terrifiée, elle se sentit perdre toute contenance en voyant celui qui lui faisait face.

— Bonsoir, Susan…

— Morris…

21.

Il se tenait là, digne et beau dans son costume d'un autre temps maculé d'une large tache rouge foncé. La blondeur de ses cheveux, accentuée par la lumière de la lanterne, donnait à son visage une pâleur délicate, quoique irréelle.

Pourtant, plus que la vision de ce jeune homme, à la fois mort et vivant, c'était le parfum émanant de toute sa personne qui dominait celui des cires et des essences dont Helen faisait usage pour ses travaux de restauration et saisissait Susan.

Le parfum perdu, si puissant, si bouleversant.

— Tu sais pourquoi je suis là, Susan... fit Morris.

Bien que sa voix fût douce et sourde, presque caressante, Susan se mit à trembler. Elle opina de la tête, les yeux écarquillés, braqués sur ce garçon élégant et redoutable. Lui la dévisageait avec ce qui, au premier abord, pouvait évoquer la tristesse de celui qui agit malgré lui. Mais le regard de Morris n'était pas triste, pas plus qu'il n'était résigné.

Il était vide.

Et ce vide se révélait plus menaçant que toute autre expression.

* * *

Susan savait qu'il allait se passer quelque chose, même si pendant de longues secondes, tout semblait pouvoir s'arrêter et disparaître comme un mauvais rêve. Mais rien ne pouvait la préparer à ce que Morris se ruât sur elle, un long couteau à la main.

— Non ! cria-t-elle, plus de rage que pour dissuader son agresseur.

Un réflexe défensif lui fit tendre les bras en croix. Au fond de son œil droit jaillit l'étrange flamme, si intense qu'elle semblait se refléter sur les murs, ainsi que l'aurait fait un feu de cheminée.

Morris suspendit aussitôt son geste, comme interrompu par un coup de pistolet ou une paralysie soudaine. Puis il bondit à nouveau vers elle, lame en avant. Le même phénomène se reproduisit : une force invisible, aussi solide qu'un bouclier, l'empêcha d'atteindre la jeune fille. Projeté à l'autre bout de la pièce comme un ballot de paille, il se laissa glisser le long du mur et, la tête entre les genoux, se mit à pleurer.

* * *

Non loin de lui, Susan était désemparée. Échapper à une tentative de meurtre et voir son agresseur fondre en larmes parce qu'il a échoué avait de quoi déboussoler la plus solide des capitaines des pirates. Quant à comprendre ce qui avait réellement empêché Morris de parvenir à ses fins, c'était une autre affaire.

— Je souffre tant, Susan… murmura Morris en rejetant la tête en arrière.

— Pourquoi ? demanda la jeune fille, sur le qui-vive.

— Il y a plus de trois cents ans que je suis seul. Ma solitude est si grande… Tu imagines ce que cela représente, Susan ? Trois cents ans à ne parler à personne, à subir la douleur de n'être ni mort ni vivant, à attendre que le soleil se couche pour aller voir chaque nuit celle que j'aime…

— Meredith O'More… l'interrompit Susan à brûle-pourpoint.

En un éclair, il fut devant elle, dardant son regard d'un bleu argenté.

— Meredith est mon amour, je ne peux plus supporter la douleur de la voir éteinte. Je lui ai fait don de ma vie et de ma mort.

— Ainsi que celles d'innocents ! rétorqua Susan.

— Personne n'est tout à fait innocent.

Il fit glisser sa main le long du cou de Susan.

— Ma descendante… Tu es la dernière de la lignée des Rosebury, c'est toi qui dois clore la malédiction et permettre que revive la femme que j'aime. Tu es le dernier maillon de la chaîne, Susan…

Sa paume enveloppa une partie du visage de la jeune fille.

— Tu sais que je suis venu te chercher, poursuivit-il.

Bien sûr que Susan le savait. Alors, pourquoi n'arrivait-elle pas à fuir pendant qu'il était encore temps ? Qu'est-ce qui l'empêchait de hurler pour ameuter toute la maison ? La voix envoûtante de Morris ? L'évidence de ses propos ? La force inéluctable de la malédiction qui suintait de chacun de ses pores, qui résonnait derrière chacun de ses mots ?

— Il y a eu tant de souffrances... murmura-t-il. Toi et moi, notre famille, nous sommes tous des victimes. Il est temps que la malédiction prenne fin et que nous trouvions tous la paix, tu ne crois pas ?

— Où est-elle ? fit Susan. Où est Meredith O'More ?

Une lueur de surprise brilla au fond des yeux de Morris.

— Mais elle est là où mon père l'a tuée, près de toi, près de nous ! Pourquoi crois-tu que je t'ai fait venir dans ce lieu ?

Susan fronça les sourcils.

— Tu es ici grâce à moi, Susan, chez toi, sur la terre de Meredith et de tes ancêtres... Les Hopper n'y sont pour rien, tu l'as bien compris, n'est-ce pas ?

Du bout des doigts, il effleura la joue de la jeune fille. Ce contact inspira à Susan une terreur glacée, la pulpe de l'index de Morris générait des influx polaires qui la tétanisaient. Elle détourna la joue, les yeux toujours rivés sur ceux de Morris.

— Le parfum, souviens-toi... insista Morris, presque amusé. Qui pouvait être au courant ? Ce n'est pas un hasard et tu le sais très bien.

Susan résistait difficilement à sa cruauté. Elle avait envie de le gifler.

Soudain, il changea de ton.

— Les Hopper ne remplaceront jamais tes parents. Mais moi, je peux te permettre de revoir les tiens, les vrais.

Susan expira comme si elle avait retenu son souffle trop longtemps. Les avertissements de la voix, entendus dans le caveau du rêve, trouvaient maintenant tout leur sens.

Reste sur tes gardes, car pour parvenir à leurs fins, Morris et le démon de O'More peuvent agir sur ton corps, tes sens, ton imagination et ta mémoire.

— Mes parents sont morts, rétorqua Susan, plus fermement qu'elle ne s'en serait crue capable.

Morris amorça un pas vers elle, soulevant une bouffée parfumée et délicieuse.

— Moi aussi, je suis mort, fit-il, le regard toujours aussi inexpressif. Et pourtant, regarde, je suis là, près de toi. Si tu acceptes de me suivre, tu retrouveras tes parents, vous serez réunis pour l'éternité !

Georgette s'agita et mordilla le bas du pyjama de Susan, comme pour l'empêcher d'accepter le marché de Morris. Mais Susan n'avait pas besoin de ses mises en garde.

— Te suivre, c'est mourir ! lança-t-elle en tremblant de colère et de peur. Et je n'ai pas du tout envie de mourir, ni de devenir un mort-vivant comme toi !

Les mots grinçaient entre ses dents.

— La mort n'est pas ce que tu crois, Susan. La vie non plus, d'ailleurs. Retrouver tes parents n'est-il pas ce que tu souhaites le plus au monde ?

— Non ! hurla-t-elle.

Ses muscles étaient tendus à l'extrême, son corps dur comme celui d'une statue de bronze. Mais elle ne sentait rien d'autre qu'un immense désir de survivre à cette folie. Aussi, quand d'une main Morris l'attira contre lui en pressant sur sa nuque, fut-elle prise d'un sursaut de lucidité. Elle rejeta le bras du garçon et se dégagea brutalement de son entrave en reculant de quelques pas.

— Je t'ai dit non ! répéta Susan, envahie par l'incroyable espoir de pouvoir résister. Je ne partirai pas d'ici. Jamais !

Morris lui jeta un dernier regard.

— Alors, nous allons tous faire de ta vie un enfer ! tonna-t-il, le visage cireux. Jusqu'à ce que tu nous supplies de t'accepter auprès de nous. Je regrette ce qui va t'arriver, Susan, mais ta mort est indispensable.

Puis, accablé, le corps voûté, il fit volte-face, renversa tout ce qui se trouvait sur son passage et s'enfuit, laissant derrière lui un saccage parfumé.

272

* * *

Une fois le silence revenu, Susan tomba à genoux sur le sol. D'un geste mécanique, elle caressa Georgette qui tremblait encore, pendant que les battements de son cœur retrouvaient un rythme normal. La stupéfaction et l'épouvante l'anesthésiaient, ce qui lui permettait sans doute de supporter ce qui venait de se passer. Mais le surmonterait-elle ? Et aurait-elle la force de résister à une prochaine attaque ? Car le danger n'était plus seulement dans les rêves, il faisait désormais partie de la réalité. Et maintenant que la frontière avait été franchie, si irrationnel que cela pût paraître, le revers que venait de subir Morris ne l'arrêterait pas : il récidiverait.

— Je ne le laisserai pas faire, ce maudit mort-vivant… murmura-t-elle, crispée. Qu'est-ce qu'il croit ? OK, les Hopper ne m'ont peut-être pas choisie, mais moi, je veux rester avec eux.

Malgré son émotion, elle s'interrogeait. Par un simple non, elle avait poussé à renoncer de la tuer celui qui était à la fois son ancêtre et son ennemi. *Non.* Trois lettres avaient suffi à affaiblir la détermination dont il semblait animé et la puissance surnaturelle qui lui avait permis de revenir du monde des morts et de survivre pendant plus de trois cents ans. Ou bien était-ce autre chose ? L'instinct de survie ? Sa bonne étoile, si elle existait ? Sainte Marie ? À cette pensée, Susan tâta sa poche. L'image s'y trouvait toujours. La jeune fille secoua la tête : ce bout de papier représentait une protection aussi dérisoire qu'illusoire. Pourtant, combien de fois l'avait-elle prise entre ses mains ? Combien de fois lui avait-elle... parlé ?

— Je débloque... bougonna-t-elle.

Agacée et épuisée, elle se releva et entreprit de remettre de l'ordre dans l'atelier. Elle y parvint tant bien que mal, sans toutefois pouvoir effacer les traces laissées par un flacon de cire teintée renversé sur les tommettes.

— Georgette ? appela-t-elle.

La petite chienne accourut, sa queue en tire-bouchon frétillante d'enthousiasme.

— Tu veux bien que je t'accuse à tort si Heien pose des questions ? fit Susan en montrant la tache. En échange, tu peux venir dormir avec moi, d'accord ?

Georgette poussa un « waouf » apparemment enchanté.

— Merci, ma petite grosse.

Voilà, je deviens dingue... soupira-t-elle intérieurement. *Après avoir mis en déroute un mort-vivant démoniaque, mû par l'idée fixe de me tuer, voilà que je négocie en pleine nuit avec une chienne... Vraiment du grand n'importe quoi...*

Elle attrapa l'animal et, après un dernier regard sur la pièce, elle éteignit la lanterne et remonta à l'étage. Devant la porte de la chambre d'Eliot, elle hésita un instant. Mais en définitive, elle tourna les talons et rejoignit la quiétude de sa propre chambre.

* * *

— Susan ? T'es réveillée ?

La jeune fille bondit hors de son lit. Quelle heure était-il ? Elle se réveillait à nouveau à une heure indue ? Un coup d'œil à son réveil la rassura : il était à peine huit heures.

— Salut ! dit-elle en ouvrant la porte.

Eliot était déjà habillé et sa mèche impeccablement coiffée.

— Salut, ça va ? demanda-t-il, les sourcils soudain froncés à la vue de la mine de son amie.

— Je n'ai pas dormi de la nuit...

— Ah ! Voilà pourquoi il ne s'est rien passé ! Pas de rêve, ni caveau ni cimetière...

— Il ne s'est pas « rien passé », Eliot... le coupa Susan. Il m'est arrivé un truc terrible.

Eliot ne cacha pas son inquiétude et interrogea son amie du regard.

— J'ai vu Morris et il a voulu me tuer, murmura-t-elle. Je t'assure que c'est vrai ! ajouta-t-elle.

— Je te crois, s'empressa-t-il de renchérir. Qu'est-ce qui s'est passé ?

Elle lui fit un bref compte-rendu de sa rencontre impensable de la nuit. Eliot était bouleversé.

— Oh, la vache... souffla-t-il. Alors, ce Morris n'a pas quitté le manoir depuis plus de trois cents ans, il est là, parmi nous... Cette histoire commence à sentir mauvais.

Susan soupira, accablée, et une vive envie de la consoler poussait Eliot à la prendre dans ses bras. Il s'approchait déjà quand Helen, depuis le couloir, les interpella :

— Eliot ? Susan ? Le petit déjeuner est servi !

— On arrive ! répondit Eliot.

Susan le regarda en se mordant la lèvre inférieure. Helen verrait-elle d'un bon œil qu'Eliot se trouvât dans sa chambre à cette heure matinale ? Le garçon ne lui laissa pas le temps d'y réfléchir : il lui saisit la main et l'entraîna.

22.

— Bien ! s'exclama Helen en repliant sa serviette. Aujourd'hui, journée shopping ! Allez vous préparer, nous partirons à onze heures.

À vos ordres, mon général ! ne put s'empêcher de penser Susan.

— D'accord, m'man !

— D'accord, Helen ! renchérit Susan, un peu à contrecœur.

Les deux ados foncèrent à l'étage : s'ils se dépêchaient, ils auraient le temps d'aller voir Alfred pour lui raconter ce qui s'était passé...

* * *

Helen les attendait, sac à l'épaule et mains sur les hanches. Il était onze heures et quart... La sévérité de son regard, teintée de reproche et d'agacement, tétanisait Susan. La jeune fille se tourna vers Eliot d'un air inquiet et connut un grand moment de solitude en ne trouvant que le reflet des verres rouges de ses lunettes de ski.

— Vous voilà enfin ! Mais où étiez-vous donc passés ? J'espère que vous n'étiez pas chez Alfred... fit-elle.

La voix était parfaitement assortie au regard, ainsi qu'au tailleur-pantalon gris perle et aux cheveux coiffés en queue-de-cheval : stricte et intransigeante. La respiration de Susan s'accéléra. Chez les Hopper, il lui faudrait ménager la chèvre et le chou – elle avait retenu cette expression de Mme Boyd, dix-huitième famille d'accueil.

— Qui est Alfred ? demanda-t-elle de son air d'agnelle innocente.

Helen la dévisagea, perplexe. Bien sûr, Susan ne pouvait pas savoir que son beau-père, ce fou dangereux, vivait sur le domaine, dans la sinistre petite maison en lisière de forêt ! Mais comment expliquer cela sans effrayer la jeune fille ?

— Georgette avait envie de faire pipi, intervint Eliot, coupant court à toute réflexion. On l'a emmenée dans le parc et elle a fait sa dingue, on a eu un peu de mal à la récupérer.

Eh bien, on peut dire que ce drôle de petit animal sait nous sauver la mise ! ne put s'empêcher de remarquer Susan en voyant Helen se détendre sensiblement.

— Cette Georgette devient incontournable... fit-elle en agitant ses clés de voiture. Elle restera cependant ici à nous attendre bien sagement. Allons-y.

Eliot s'était installé à l'avant, à côté de sa mère qui conduisait. L'obscurité due aux vitres teintées et la musique de chambre diffusée par le lecteur MP3 invitaient à une certaine quiétude.

— Tout va bien, Susan ? demanda Helen.

Susan croisa son regard dans le rétroviseur et son cœur se serra : Helen ne posait pas cette question par pure politesse. Malgré son apparence distante, l'attention qu'on pouvait déceler au fond de ses yeux et dans l'inflexion de sa voix laissait entendre qu'elle semblait véritablement soucieuse du confort de Susan. De son bien-être ? De son bonheur ?

— Oui, merci, Helen… répondit la jeune fille dans un souffle.

Tout cela rendait ses pensées confuses alors que la voiture filait vers la grande ville voisine. Et si elle se tracassait autant, ce n'était pas seulement à cause de ce démarrage sur les chapeaux de roues chez les Hopper – la première semaine n'était pas encore écoulée et il s'était déjà passé tellement de choses… Elle se contraignit à laisser de côté les révélations sur ses origines et les secrets levés par ses rêves car, pour le moment, elle avait un autre problème. Complexe à sa façon, il tournait autour d'une question d'ordre purement pratique : quelle attitude avoir quand elle serait dans un magasin avec Helen et Eliot ? La dernière fois qu'elle avait fait du shopping, c'était en compagnie de l'éducatrice avec laquelle elle avait le moins d'atomes crochus, miss Gherkin, alias miss Piggy la Cochonne. D'ailleurs, pouvait-on vraiment appeler cela « faire du shopping » ? L'opération avait eu lieu plus d'un an auparavant et n'avait pas dépassé vingt minutes. Le temps pour Susan d'errer dans ce grand magasin sans savoir sur quoi fixer son attention, et encore moins ses choix. Finalement, elle avait fourré dans un panier trois marinières, toutes semblables, toutes un peu trop grandes, ainsi que trois jeans et trois vestes molletonnées qu'elle n'avait pas eu le temps d'essayer. Sans oublier une paire de tennis en toile, pointure 36 – une au-dessus de celles qui lui recroquevillaient les orteils en lui faisant un mal de chien. L'éducatrice avait décidé de se charger elle-même des sous-vêtements et le moins que l'on pût dire, c'est qu'elle ne se compliquait pas la vie : un modèle fille, un modèle garçon, et l'affaire était bouclée.

Une fois à la caisse, Susan avait dû reposer une veste et un jean – le plus beau, celui avec des pièces aux genoux –, et avait supporté les observations pleines de finesse de miss Piggy.

— Tu as vu le prix ? Qui crois-tu être pour mériter une garde-robe pareille ? La fille de la reine d'Angleterre ? lui avait lancé celle qui incarnait la délicatesse en personne.

Ce souvenir lui tira une grimace, puis un haussement d'épaules.

— Qu'elle brûle en enfer… marmonna-t-elle.

— Que dis-tu, Susan ?

Helen lui jetait des coups d'œil furtifs par le biais du rétroviseur.

— Euh... je disais que ça allait être une journée d'enfer...

Les yeux de la conductrice laissèrent entrevoir un sourire.

Bien joué, Susan !

* * *

Le trio ne manquait pas d'attirer l'attention des passants. Bien sûr, ni l'élégance d'Helen ni l'allure androgyne de Susan n'en étaient la cause. Tout ce que les gens voyaient, c'est l'être qui marchait à leurs côtés en combinaison spatiale et aux grosses lunettes de ski. Susan en éprouvait un vif malaise, bientôt transformé en colère. Si elle s'était toujours sentie à part, sa différence restait intérieure, d'une visibilité négligeable comparée à celle que devait subir Eliot chaque fois qu'il se confrontait aux autres. Il n'était tout de même pas une bête de foire ! La jeune fille se surprit à le supporter aussi mal que si c'était elle, là, sous cette combinaison. Quand une fillette montra le garçon du doigt, Susan faillit lui sauter à la gorge. Cette petite crétine ne savait pas que ça ne se faisait pas ? Que lui avait donc appris sa mère ? Ce n'était pas la peine d'en avoir une si on se permettait des gestes pareils. Même elle, Susan, la fille du diable, la conceptrice de la Butte de l'Horreur, l'orpheline rebelle, n'aurait jamais fait cela.

Par chance, le ciel se couvrit de nuages et une averse se déclara soudain. Les parapluies s'ouvrirent comme des fleurs le long des rues commerçantes. Contrairement à tout le monde, Eliot portait le sien très bas pour dissimuler le haut de son corps. Si bas que les baleines tiraient les cheveux de Susan qui s'abritait à ses côtés. Mais elle ne dit rien. Ce n'était pas grave.

— Venez, les enfants ! fit Helen. Nous allons commencer par ici.

Elle s'avança d'un pas décidé vers une devanture en bois peint et Susan reconnut la marque qui siglait la plupart des vêtements d'Eliot.

— C'est le magasin préféré d'Eliot, ajouta Helen sur le ton de la confidence, et je suis sûre que toi aussi, tu vas beaucoup l'aimer.

Elle les entraîna dans une boutique dont Susan n'aurait pas pu imaginer l'existence, même en faisant preuve d'une imagination délirante. À l'entrée, des filles se faisaient prendre en photo au bras de jeunes hommes torse nu au look de surfer californien ou de modèle branché. Helen, Susan et Eliot ne s'attardèrent pas et entrèrent. La musique était si forte et l'intérieur si sombre que Susan crut arriver dans une discothèque – du moins selon l'image qu'elle se faisait de ce type d'endroit où elle n'avait jamais mis les pieds. De plus, un parfum prégnant y régnait, comme une signature olfactive que tout le monde pouvait reconnaître.

— T'as vu ? lui glissa Eliot à l'oreille. Pour moi, l'obscurité ; pour toi, le parfum. C'est parfait, non ?

Des vendeuses, jeunes et belles, les croisèrent en souriant et les interpellèrent joyeusement :

— *Hi ? What's up ?*

— Euh… ça va ! répondit Susan à quelques-unes d'entre elles, ce qui sembla amuser Helen.

— Tu n'es pas obligée de répondre chaque fois, tu sais… lui glissa-t-elle à l'oreille.

Susan se sentit affreusement gênée. Elle allait passer pour une vraie plouc…

— Choisis ce qui te fait plaisir, Susan, poursuivit Helen.

Elle était presque obligée de crier pour se faire entendre dans ce vacarme. Mais, malgré cette ambiance joyeuse, la proposition d'Helen ne manqua pas de décontenancer Susan. C'était bien la première fois qu'on lui demandait de choisir quelque chose qui lui ferait plaisir.

Quelque chose pour elle.

Et ainsi qu'elle l'avait redouté, elle n'avait aucune idée de la façon dont il fallait procéder.

Elle aperçut Eliot qui parcourait les rayonnages, côté garçon. Il avait retiré la capuche de sa combinaison et ses énormes lunettes, et Susan comprit alors pourquoi ce magasin était son préféré : à part les tables et les étagères, éclairées par des spots habilement dirigés sur les piles de vêtements, l'obscurité y était si intense que la jeune fille se cognait dans les meubles à chaque instant.

Mais cet éclairage minimal était parfait pour un garçon atteint de la maladie de la Lune !

Allez, concentre-toi, il faut que tu choisisses, Helen te l'a demandé ! se sermonna-t-elle en voyant Eliot examiner un sweat-shirt.

Choisir… Comment faisait-on ? Elle n'en avait aucune idée. Elle regarda les adolescentes qui passaient d'une table à l'autre et décida de faire comme elles : déplier les tee-shirts les uns après les autres, mettre des pantalons devant elle pour en évaluer la coupe, enfiler des gilets et des vestes de survêtement… Elle s'épargna cependant la peine de pousser des cris hystériques comme ces jeunes filles et resta calme, malgré l'agitation qu'elle ressentait.

— Tu as trouvé ce que tu cherchais ? demanda bientôt Helen qui s'était approchée.

Susan ne l'avait pas entendue arriver dans le brouhaha qui régnait. Désorientée, les bras chargés de vêtements pris à droite et à gauche, elle opina de la tête, tout en sachant qu'elle n'avait ni cherché ni trouvé quoi que ce fût par elle-même.

— Je peux regarder ? reprit Helen.

Un à un, elle passa les vêtements en revue.

— Taille L, c'est un peu grand pour toi… fit-elle remarquer.

— Ah ?

— Du XS me paraît plus indiqué.

Sans pouvoir préciser pourquoi, Susan voyait bien que cette erreur troublait Helen. Elle crut lire sur son visage une sorte d'étonnement, doux et triste. À moins que ce ne fût de la pitié ? Cette pensée la crispa. D'accord, elle voulait qu'Helen s'intéressât à elle, mais il était hors de question qu'elle le fît par compassion ou tout autre sentiment de ce genre ! Et puis quoi encore ?

— Peut-être vaudrait-il mieux que tu essaies ? suggéra Helen en ouvrant la fermeture Éclair d'une veste de survêtement d'un beau bleu turquoise.

Susan s'exécuta et enfila la veste pendant qu'Helen parcourait à nouveau les rayons pour choisir les bonnes tailles. Elle leva les yeux vers Eliot qui l'observait. Il dit quelque chose qu'elle ne comprit pas.

— Qu'est-ce que tu dis ? cria-t-elle.

— Ça te va bien ! répondit-il, les mains en porte-voix.

Il jeta un rapide coup d'œil à sa mère, toujours affairée, et profita à la fois de l'obscurité et de ce que Susan ajustait sa veste pour l'embrasser furtivement sur les lèvres. Elle en resta interdite. Si bien que, devant son absence totale de résistance, Eliot recommença, plus insistant encore. Quand Helen revint, elle les trouva immobiles, face à face, perdus dans les yeux l'un de l'autre.

— Parfait ! finit-elle par dire en considérant Susan. Très bon choix !

Très bon choix ? se répéta intérieurement Susan. *Waouh...*

— Maintenant, allons payer !

Helen n'avait pas reposé un seul article parmi tous ceux que Susan avait choisis et la jeune fille en eut les larmes aux yeux, touchée bien au-delà du simple fait de repartir de ce magasin avec un sac plein à craquer.

23.

Adossée contre une des banquettes, tout au fond du meilleur salon de thé d'Aberdeen, Susan hésitait entre un *shortbread* et un *abernethy biscuit*[1]. Face à elle, Eliot avalait les biscuits les uns après les autres et Helen sirotait son thé. Elle avait une telle façon de tenir sa tasse que Susan avait du mal à en détacher les yeux. Elle essaya de l'imiter. C'était difficile.

Les énormes sacs à l'effigie de la célèbre enseigne qu'ils venaient de dévaliser avaient attiré l'attention des passants qu'ils avaient croisés pour venir jusque-là et Susan en avait conçu un sentiment partagé.

Faire des achats dans des magasins à la mode.

Choisir des vêtements à la bonne taille.

Prendre son goûter dans un salon de thé très chic.

Tout cela était complètement nouveau pour elle.

---

1. Biscuits sablés écossais.

Si M. Craig me voyait, il en tomberait de son fauteuil ! se dit-elle.

Bien sûr, elle n'oubliait pas le baiser d'Eliot qu'elle avait accepté. Là, on dépassait les limites du concevable… Le premier baiser de sa vie ! Les plus âgées des filles du Home s'en faisaient tout un cinéma. Génial, magique, géant, incroyable, dingue… Susan avait tout entendu. Et maintenant que *ça* lui était arrivé, qu'en pensait-elle ? Pas de papillon dans le ventre, pas d'étoiles dans la tête. Non. C'était… très doux, bien que légèrement électrique.

Un peu étrange, assez surprenant. Et pas désagréable du tout.

— Qu'est-ce qui te fait sourire, Susan ? s'enquit Helen.

Elle était vraiment très observatrice. Et très curieuse. Le moindre battement de cils, le moindre murmure, rien ne lui échappait. Elle voulait tout savoir, tout comprendre. Alors, autant en profiter.

— Je savais bien que ça serait une journée d'enfer ! répondit la jeune fille en accentuant son sourire.

Helen baissa les yeux et se reversa du thé. En voyant le léger tremblement qui agitait sa main, Susan comprit qu'elle venait de marquer un point supplémentaire. Toutefois, contre toute attente, Helen annonça soudain :

— Oui… Mais nous avons pourtant un problème…

Comme ces immeubles désaffectés qu'on dynamite dans de grandes gerbes de poussière et de gravats, tout s'écroula dans l'esprit de Susan. Oppressée, le souffle heurté et les yeux embués, elle se révélait incapable de prononcer le moindre mot. Elle écarquilla les yeux, paniquée, alors qu'une alarme retentissait à tue-tête dans son cerveau.

Voilà. Tout allait s'arrêter maintenant. Helen avait découvert le vol de la figurine, l'échappée nocturne, la visite chez Alfred. Le gaspillage de son parfum, le désordre dans son atelier.

Elle savait qui était Susan, tout le mal qu'elle trimballait avec elle, combien elle était nuisible. Malveillante. Malsaine. Quel mot utiliserait-elle quand elle appellerait M. Craig ?

— Un problème, maman ? demanda Eliot d'une voix étranglée.

Quand il croisa son regard, Susan réalisa qu'il était presque aussi paniqué qu'elle. Sauf que lui, il n'aurait pas à faire sa valise en rentrant au manoir…

— Un problème majeur auquel je compte bien remédier, reprit Helen.

Sur son visage, aucun indice n'indiquait ce dont elle voulait parler. Sonnée, Susan resta figée, les mains jointes entre les genoux. Helen se leva, prit son sac à main et annonça aux deux ados tourmentés :

— Vous avez quartier libre. On se retrouve ici, à seize heures. Je vous attendrai dehors, soyez ponctuels.

Elle leur tourna le dos et s'éloigna parmi les tables du salon de thé avant de revenir sur ses pas. Et alors que Susan s'attendait au coup de grâce, Helen lui dit d'une voix légèrement inquiète :

— Susan, je compte sur toi pour veiller sur Eliot...

— M'man, quand est-ce que tu vas commencer à me faire confiance ? s'indigna le garçon.

Helen émit un petit claquement de langue réprobateur.

— J'ai confiance en toi, Eliot, mais pas dans les autres. Les gens sont parfois tellement malveillants...

Elle se tourna vers la jeune fille qui, déconcertée, acquiesça d'un mouvement de tête.

— Bien, à tout à l'heure !

— À tout à l'heure, m'man... soupira Eliot.

Une fois qu'elle eut disparu dans la rue, il laissa cependant libre cours à son agacement.

— Qu'est-ce qu'elle peut être pénible, quand elle s'y met !

— C'est foutu, Eliot... Elle sait tout et je vais devoir partir.

Le garçon tendit la main vers Susan, mais elle se trouvait trop loin de lui pour qu'il puisse la toucher et, de son côté, elle ne faisait rien pour se laisser approcher. Alors, il rapprocha sa chaise et ils se retrouvèrent côte à côte, leurs épaules se frôlant.

— Pendant un moment, moi aussi, j'ai cru qu'elle avait découvert quelque chose, murmura-t-il en

290

émiettant le dernier sablé. Mais je la connais bien, tu sais ! Si elle se doutait de quoi que ce soit, elle n'agirait pas ainsi.

Susan se tassa sur elle-même.

— Qu'est-ce que tu veux dire ?

Eliot inspira et expira bruyamment.

— C'est la deuxième fois qu'elle me laisse hors de la maison avec toi. Et là, nous ne sommes pas à Thornshill : nous sommes dans une grande ville, pleine de dangers !

Le regard de Susan glissa jusqu'à lui, avide d'être rassuré.

— Ma mère te fait confiance, Susan !

— Non, elle me teste !

Eliot fit une petite moue dubitative.

— Sur d'autres choses, peut-être. Mais là, il s'agit de moi, son fils adoré, la chair de sa chair... Tu imagines bien qu'une femme comme elle ne prendrait pas le risque de me laisser avec quelqu'un sur qui elle aurait le moindre doute !

Susan ne put s'empêcher de sourire.

— Ne t'inquiète plus, d'accord ?

— Mmhhh...

Mais l'inquiétude, bien que moindre, avait causé quelques dommages. Les deux ados déambulèrent tous les deux dans les rues, s'attardant sans conviction devant les vitrines, entrant au hasard dans des magasins qui ne les intéressaient pas le moins du monde. Quand arriva l'heure de rejoindre Helen, ils en furent presque soulagés.

* * *

Helen affichait un air enjoué tout à fait inhabituel aux yeux de Susan. Mais la jeune fille devait-elle s'en réjouir ? Elle n'était pas encore remise du choc de l'après-midi et préférait rester sur ses gardes.

— C'est pour toi, Susan ! fit la maîtresse de maison en lui tendant un paquet ceint d'un ruban bleu marine.

— Pour moi ?

— Absolument !

Susan prit le paquet, aussi perturbée par le sourire engageant d'Helen que par son geste. Depuis le fauteuil où il était installé, Eliot se redressa.

— C'est quoi ?

Helen ne lui répondit pas. Ce serait à Susan de le faire, si elle le souhaitait.

La jeune fille s'assit en tailleur sur le tapis, dos à la cheminée, et commença à défaire le paquet. Elle sentait qu'Helen l'observait, ainsi qu'Eliot, et s'interrogeait sur l'attitude qu'elle devait avoir. Et si le cadeau ne lui plaisait pas ? Arriverait-elle à faire bonne figure ? Helen était si perspicace, elle s'en rendrait compte.

Elle n'eut pas à se poser d'autres questions lorsqu'elle découvrit trois marinières, enveloppées dans du papier de soie, comme s'il s'agissait d'un objet fragile. Les larmes lui montèrent aux yeux.

292

Je ne vais quand même pas me mettre à pleurni-cher !

Le corps immobile, mais le cœur cognant, elle battit des paupières. Elle respirait si précipitamment qu'on pouvait entendre son souffle dans tout le salon, elle en concevait une certaine honte. Helen vint à son secours :

— J'ai bien vu combien tu étais déçue de ne pas en avoir trouvé tout à l'heure...

— Merci... balbutia Susan.

Elle se ratatina encore un peu plus. Avait-elle laissé voir tant de choses sur elle-même ? Et si Helen avait perçu sa déception, pourtant soigneusement enfouie, qu'avait-elle pu percevoir d'autre ?

— J'ai dû manquer un épisode, fit Eliot.

— Les marinières sont très importantes pour Susan, expliqua Helen. N'est-ce pas, Susan ?

— Oui... réussit à ânonner la jeune fille.

Le ton d'Helen était sincère et enjoué. Sans doute se voulait-il rassurant. Et malgré son émotion, Susan se sentait gagnée par un certain réconfort : Helen se donnait vraiment de la peine pour respecter ce qui comptait pour elle.

Et ça, ça mérite bien quelques sueurs froides...

— Mais il manque encore quelque chose, fit remarquer Helen.

Elle s'assit dans le sofa et ouvrit la boîte qu'elle avait apportée : un nécessaire de couture.

— La croix doit-elle être en diagonale ou perpendiculaire aux rayures ? demanda-t-elle à Susan tout en glissant du fil à broder rouge dans le chas d'une grosse aiguille.

— En diagonale, madame, répondit Susan, tentant péniblement de retrouver ses esprits.

Sans se rendre compte de ce qu'elle venait de dire, elle releva la manche longue de son tee-shirt tout neuf – il fallait faire honneur aux efforts d'Helen – et plia le coude, exposant la vieille marinière trop courte qu'elle portait en dessous.

— Ne m'appelle pas *madame*, je t'en prie... fit Helen sans la regarder.

— Pour certaines personnes, appeler les autres par leur prénom n'est pas aussi naturel que pour toi, m'man ! intervint Eliot, hilare.

Il se jeta sur un gros coussin de sol et s'allongea sur le ventre, face à la télé allumée en sourdine.

— Maman déteste les familiarités, expliqua-t-il.

Je m'en doutais un peu ! pensa Susan.

— Alors, c'est plutôt drôle de l'entendre demander à quelqu'un de l'appeler *Helen*, poursuivit-il. D'habitude, elle a horreur de ça.

— Ça suffit, Eliot... rétorqua Helen.

Était-elle réellement agacée ou bien faisait-elle semblant ? Susan n'arrivait pas à le déterminer. Elle était là, devant cette femme hermétique, le coude tendu vers elle et la tête pleine d'embarras. Tout chez Helen la faisait hésiter.

— C'est quoi, ces croix rouges ? demanda Eliot, à nouveau curieux.

Susan ramena la manche longue du tee-shirt et tira dessus nerveusement. Mais pourquoi tout le monde cherchait-il à ce qu'elle raconte sa vie ? La prenant par surprise, c'est Helen qui répondit :

— Ces croix sont une forme de repère.

Elle adressa à Susan un long regard, sérieux, presque grave. La jeune fille, quant à elle, réfléchissait à toute vitesse.

Ménager la chèvre et le chou… Plaire à la mère, au fils et au père… au grand-père bien attaqué, à la chienne hideuse… Penser tactique si tu veux rester ici avec eux…

— Oui, c'est ça, approuva-t-elle. C'est un repère.

Eliot se préparait à approfondir le sujet quand sa mère leva la main pour lui signifier de s'arrêter. Surpris, le garçon s'interrompit en plein élan avant de se retourner pour regarder la télé, un peu bougon.

À noter : récupérer le coup avec Eliot ! enregistra mentalement Susan. *Et ne plus jamais appeler Helen « madame ».*

Et en attendant que cette journée particulière s'achevât enfin, elle se réfugia dans un fauteuil, ramena ses jambes contre elle et posa la tête sur ses genoux. La vie de famille – la vie chez les Hopper ! – demandait des nerfs plus solides qu'elle ne l'aurait cru. Il était ô combien plus difficile de rester que de se faire renvoyer… Mais elle tiendrait bon !

Elle tiendrait bon.

24.

Dormir, c'était prendre le risque de rêver.

Rêver, c'était se retrouver dans cc cimctièrc angoissant.

Toutefois, ne pas dormir, ce n'était pas pour autant la garantic dc passcr unc nuit paisible.

Allongée sur son lit, Susan passait en revue tous les cas de figure. Aucun ne lui convenait. Mais elle n'avait pas le choix : rêve ou réalité, le danger était désormais partout.

Elle bâilla. Non pas d'ennui – elle aurait vivement préféré ! –, mais de fatigue. Une nuit blanche, la rencontre avec son ancêtre revenu d'entre les morts pour la tuer, le rapprochement d'Eliot, les égards touchants d'Helen, la glace qui fondait entre elles deux...

Elle ferma les yeux. La malédiction n'était pas la seule cause de sa présence au manoir, elle en était enfin persuadée. Elle avait sa place chez les Hopper, un avenir parmi eux. Et personne ne l'empêcherait de vivre cette vie.

Sa respiration s'alourdit. Le sommeil la gagnait, doux et lent. Déjà à moitié vaincue, elle se mit en chien de fusil, son oreiller contre elle, referma la main sur le couteau qu'elle avait à nouveau prélevé dans la collection de Mme Pym, et s'abandonna. Quoi qu'il en fût, dans un caveau cauchemardesque ou dans une pièce du manoir, il lui faudrait lutter. Alors...

* * *

Il faisait moins froid que les nuits précédentes, mais l'atmosphère n'en était pas plus rassurante. La brume flottait autour des pierres tombales des Rosebury, les enveloppait, révélant ou masquant l'identité de ceux qui étaient là, enfouis pour l'éternité. Susan risqua quelques pas sur le sentier central et chercha la tombe de sa mère. Elle la trouva sans mal : c'était la plus blanche. Elle resta debout, puis, après quelques secondes, elle s'agenouilla.

Le contact avec la neige tapissant le sol la fit frissonner. Elle passa les doigts sur les lettres noires gravées dans le marbre au fur et à mesure que la brume se dissipait, comme par respect pour ce moment intime.

Emma Prescott, née Rosebury.

Sous les lettres, un médaillon, petit tableau ovale où son portrait apparaissait.

Elle était telle que Susan l'avait vue dans le souvenir provoqué par la dispersion du parfum d'Helen. Ou plutôt le parfum d'Emma Prescott, née Rosebury… Elle était blonde et fine. Comme elle. Comme Morris.

Susan laissa échapper un gémissement.

— Maman…

Au-dessus et tout autour d'elle, des flocons de neige voletaient, petites larmes de glace, légères et piquantes. Étrangement, ce n'était pas la peine qui étreignait le cœur de Susan, mais bel et bien une épouvantable sensation de gâchis. Ses parents étaient morts à cause de la malédiction d'une folle ivre de vengeance et, elle l'avait perçu dans le souvenir resurgi, ils avaient l'air si bien, si bons, si aimants. Personne ne l'avait été autant qu'eux. Jamais.

Car, aujourd'hui, elle comprenait que cet amour vivait en elle depuis toujours, sans qu'elle l'ait su. Il faisait partie d'elle depuis son premier souffle.

Elle se rappelait combien elle avait choqué en disant un jour que ses parents ne lui manquaient pas. On l'avait prise pour un monstre et sans doute son surnom de « fille du diable » lui avait-il été donné à ce moment-là. Pourtant, elle disait la vérité. Comment des gens qu'on ne connaissait pas pouvaient-ils vous manquer ? Ce n'étaient pas ses parents qui lui manquaient, mais *des* parents.

Et au-delà, l'amour de gens bien et bons.

La plupart des hommes et des femmes qui l'avaient accueillie durant son enfance faisaient simplement leur boulot, d'autres, leur possible. Mais certains s'étaient approchés de cette harmonie qu'elle avait conservée en elle, presque à son insu. Cependant, elle était exigeante : l'approximation ne pouvait pas lui convenir, seule la perfection comptait.

Et elle ne l'avait jamais trouvée avant de tomber sur Helen Hopper.

Pourtant, rien n'était gagné...

— Susan, t'es là ?

C'était la voix d'Eliot. Elle se releva précipitamment alors qu'il apparaissait à l'entrée du cimetière, protégé des pieds à la tête.

— Par ici, Eliot !

Il s'approcha avec précaution.

— J'y vois rien avec ces foutues lunettes de ski... pesta-t-il.

— Mais tu dois les garder, on ne sait jamais... l'avertit Susan.

— C'est gentil de prendre soin de moi comme ça, murmura-t-il.

Interloquée, Susan plissa les yeux.

— Non, ce n'est pas gentil, fit-elle. C'est... normal...

— Si, c'est gentil ! insista-t-il.

— *Zorzette* est *zentille* elle aussi ! résonna la voix aigrelette de Georgette. C'est une *souette* petite *sienne* !

— Tiens, voilà ma p'tite grosse ! Salut, toi !

Eliot la gratifia de vigoureuses caresses et le carlin se mit à tourner autour de lui en haletant et en clamant :

— *Z*'aime mon *zeune* maître ! *Z*'aime mon *zeune* maître pour *touzours* !

Elle s'arrêta net quand un hibou hulula soudain. Langue pendante et yeux exorbités, elle courut se réfugier dans les bras d'Eliot. Le cimetière avait retrouvé sa nature inquiétante.

— Où est ton grand-père ?

— Je suis là, miss Susan.

Alfred émergea de la brume et vint se placer à côté des deux ados. Un grincement résonna dans la nuit grisâtre : la grille en fer forgé du caveau se mettait en branle. Aussitôt, la brume se disloqua, s'effilocha, formant bientôt des bandes qui s'enroulèrent autour des visiteurs comme si elles voulaient les transformer en momies. Ils s'agitèrent, remuèrent les bras pour se libérer de l'entrave et s'aperçurent qu'elle n'était qu'illusion. Une illusion très angoissante, mais une illusion avant tout.

— C'est trop flippant... souffla Susan.

Elle repoussa vainement un ultime lambeau brumeux avant d'être absorbée par la vision du caveau qui apparaissait dans toute son effroyable splendeur. La grille s'ouvrait sur une noirceur sans fond, contrastant avec la blancheur glaciale du cimetière. En son cœur, un mouvement, pourtant infime comme le battement d'ailes d'un papillon, semblait s'amorcer. Susan tendit le cou, les yeux plissés pour tenter de percer l'obscurité, alors qu'Alfred la retenait par le bras et qu'Eliot reculait sur le chemin.

— Nom... de... Dieu... ânonna le grand-père.

— Couchez-vous ! hurla Eliot.

Les mots de pierre jaillirent du caveau, comme projetés par le souffle d'une bombe. Susan et ses compagnons plongèrent au sol et échappèrent de justesse à la nuée maudite. Transformés en projectiles mortels, les mots les survolèrent en rase-mottes, frôlèrent leur tête et firent un accroc dans la capuche d'Eliot. Puis ils foncèrent sur les tombes contre lesquelles ils se fracassèrent. Leurs débris s'échouèrent dans le claquement sourd de cailloux qui s'entrechoquent, à peine amorti par le tapis neigeux.

Alors, le silence revint.

* * *

— Tout le monde va bien ?

— Ça va, grand-père…

— C'est bon, Alfred, dit Susan, allongée de tout son long sur le sol.

— Moi aussi, *ze* vais bien, mais *z*'ai cru que *z*'allais mourir !

— Viens vers moi, ma p'tite grosse, fit Eliot.

Les yeux larmoyants, Georgette obéit en rampant vers le garçon. Alfred se releva, bientôt imité par les deux ados. Eliot tenta d'évaluer l'étendue des dégâts sur sa combinaison en tâtant sa tête du bout des doigts.

— Laisse-moi regarder, fit Susan.

Après inspection, elle rassura son ami.

— C'est presque rien, je te raccommoderai ça dès qu'on se réveillera.

— Je ne me doutais pas que tu savais coudre !

Susan faillit lui répondre qu'elle avait – contre son gré – bénéficié de certains apprentissages au sein de quelques familles d'accueil. Mais Eliot la coupa de court en promenant l'index sur sa joue.

— T'as de la terre, là…

— Merci…

— De rien.

— Ces mots de pierre ont failli nous tuer, soupira Alfred en s'époussetant. Mais, grands dieux, cette odeur risque bien de nous achever. Vous sentez ?

Les deux ados regardèrent autour d'eux, la main sur le nez et la bouche. Spontanément, à l'instar d'Alfred, ils se saisirent de l'arme de fortunc – coutclas ct épéc – qu'aucun d'cux n'avait oublié d'emporter.

* * *

Une nouvelle forme de parfum, animale et végétale, imprégnée de sang, de marécage, de pourriture, envahissait maintenant le cimetière, tel un souffle toxique exhalé par le caveau.

— On dirait l'odeur de la poupée en cuir quand on l'a ouverte, fit remarquer Susan en se bouchant le nez.

— T'as raison ! acquiesça Eliot.

— La charogne… murmura Alfred. Ça empeste la charogne. Ce sont les cadavres… ajouta-t-il en indiquant d'un doigt tremblant le monument funéraire. Parole d'ancien soldat !

— Je me demande ce qu'on fait là, au milieu de cette horreur, dit Eliot, très inquiet.

— Je crois qu'on ne va pas tarder à le savoir, annonça Susan d'une voix blanche.

Leurs regards se fixèrent sur l'intérieur du caveau où un flambeau venait d'être allumé. Le rougeoiement de la flamme sur les parois et son éclat, balafré par les grilles de fer forgé, faisaient immanquablement penser à la gueule d'un monstre de marbre issu de l'enfer.

Des bruits de pas parvinrent jusqu'aux oreilles de Susan et de ses compagnons. Georgette se figea, tous les sens en alerte, la gorge vibrante de grondements. Le bruit était pesant et régulier, comme celui de quelqu'un gravissant des marches. La flamme s'agita jusqu'à s'approcher dangereusement de l'extinction. Puis elle se raviva pour laisser apparaître, en contre-jour, une silhouette humaine émergeant des profondeurs du caveau.

— Saperlotte… chuchota Alfred, la main sur le manche de son épée. Voyez ce qui nous arrive là !

— Oh, non… gémirent Susan et Eliot, quasiment en chœur.

En s'avançant vers eux, la silhouette en laissa apparaître d'autres derrière elle, une dizaine tout au plus. Chacun de leurs pas soulevait d'insupportables bouffées de pestilence.

En franchissant le palier du caveau et à la faveur de la clarté lunaire, la première se révéla être celle d'un homme dont une grande partie du corps était calcinée. La chair de son visage accusait, elle aussi, de profondes brûlures laissant apparaître ici ou là les os de la mâchoire ou une pommette. De son vêtement – un pyjama ! – s'échappait une fumée âcre, comme si on venait de l'extirper d'un incendie.

De son unique œil valide, il dévisagea Susan et, malgré les dégâts altérant son expression, il semblait touché par la présence de la jeune fille. Il s'approcha, ses bras noircis tendus en avant.

Susan comprit aussitôt qui il était.

25.

Plus l'homme avançait, plus Susan reculait.

— Ma fille... Ma petite Susan...

De sa bouche, fondue par le passage du feu, sortaient les mots, déformés, mais audibles et compréhensibles. Il voulut prendre les mains de Susan. Les siennes étaient effrayantes, certaines de ses phalanges dénudées saillaient, d'autres étaient partiellement couvertes de peau brûlée.

Pourtant, Susan faillit se laisser faire. Cet homme était son père. En apparence, rien ne le prouvait. Au fond d'elle, cependant, elle le savait.

Mais son père était mort.

Depuis près de onze ans.

Outre le sentiment de terreur qu'elle ne pouvait s'empêcher de ressentir, c'est en voyant les femmes derrière lui que Susan éprouva la plus violente répulsion. Vêtues selon le style de différentes époques, en robe à crinoline ou en garçonne, corsetée ou en minijupe, toutes avaient un point commun : au vu des blessures qui dénaturaient leur corps, elles étaient aussi mortes que l'était le père de Susan. Plaies béantes, membres fracturés, sang, pâleur cadavérique, regards spectraux, suppliciés… Les causes de leur mort apparaissaient comme de morbides étendards.

— N'aie pas peur… fit le père de Susan dans un râle invitant plus à la fuite qu'à la confiance.

Susan jeta un coup d'œil paniqué à ses compagnons d'aventure. D'un infime geste de la tête, Eliot lui fit signe de ne pas avancer. La situation était bien trop étrange. Alfred semblait d'ailleurs partager ce point de vue. Il posa la main sur l'épaule de la jeune fille, ce qui la fit frémir, et l'incita à reculer.

— Viens près de moi, Susan… poursuivit l'homme brûlé. Nous avons besoin de toi. *J'ai* besoin de toi.

L'odeur devenait de plus en plus insupportable au fur et à mesure qu'il approchait. Les dix femmes derrière lui, escorte ensanglantée, le suivaient pas à pas, et Susan ne put s'empêcher de penser à ces films dans lesquels les zombies avançaient, le corps pesant, les mouvements saccadés et désordonnés, presque comiques. Mais là, il n'y avait rien de drôle. Le plus choquant était les regards, ni ardents, ni douloureux, ni suppliants.

Vides. Ils étaient vides.

— Vous n'êtes pas vivants… réussit-elle à dire.

L'homme s'arrêta et la considéra de son œil unique.

— Nous ne le sommes plus, c'est vrai… Mais nous ne sommes pas tout à fait morts non plus et il existe encore un espoir pour que nous échappions à notre sort...

La jeune fille chancela, en proie à l'étourdissement provoqué par l'odeur infecte et la vision insoutenable des corps montrant sans pudeur leur vie brisée. Ses deux sens étaient si violemment agressés que sa compréhension s'en trouvait altérée.

— Attention, Susan ! souffla Eliot. Ces gens ne sont plus humains !

Stupéfaite, Susan le regarda : il venait de mettre le doigt sur la nuance qu'elle cherchait ! Ni vivants ni morts, mais non humains.

— Toi seule peux nous aider, insista l'homme dans un gémissement poignant. Viens.

Malgré sa répugnance, Susan se sentait fléchir. Son cœur se tordait, sa raison chavirait. Quant à sa conscience, elle oscillait entre la prudence et la pitié, qui la poussait à entendre l'appel de l'homme. Son père.

Réfléchir était si difficile. Et résister l'était encore plus.

L'idéal serait de se réveiller, maintenant...

Mais il était trop tôt pour connaître la délivrance du réveil : le rêve que les quatre visiteurs subissaient s'avérait loin d'être fini. Quand le sol se mit à trembler, Susan et ses compagnons le comprirent aussitôt.

Le grondement venait des profondeurs du cimetière. Sourd et ample, il faisait vibrer les sépultures des Rosebury, simples monticules de terre enneigée surmontés des pierres tombales, et en faisait dévaler de petites particules d'humus gelé.

Le tremblement grandit, gonfla des tréfonds, et bientôt ce furent les monticules entiers qui s'ébranlèrent.

— Bon sang, qu'est-ce qui se passe encore ? s'alarma Alfred.

Il saisit l'avant-bras des deux ados, prêt à les entraîner... Mais où ? À l'écart ? Ailleurs ? Il n'y avait nulle part où aller, se cacher, être à l'abri. Nulle part, hormis ce cimetière, ce piège maudit.

Et maintenant, les tas de terre se soulevaient.
De l'intérieur.

Les morts sortaient de leur sépulture. Des mains apparaissaient déjà et écartaient la terre, laborieusement, mais avec une détermination bien compréhensible.

— L'angoisse... murmura Eliot. Je crois que je préfère encore voir des zombies sortir d'un caveau...

— Moi, *ze* préférerais être dans un lit bien *saud* et dormir aux pieds de mon *zeune* maître ou bien *mâssouiller* un os ! fit Georgette, tremblante et grondante.

Susan, elle, ne préférait rien du tout. Elle fixait avec appréhension les tombes et notamment une : celle de sa mère.

La verrait-elle ? Serait-elle dans le même état que son père ? Lui inspirerait-elle autant de méfiance ?

310

Emma Prescott fut la première à émerger de la tombe, tout comme son mari avait été le premier à apparaître dans le caveau.

Elle avait conservé une fraîcheur admirable, un teint d'albâtre, des cheveux d'un blond presque blanc. Derrière elle, dix hommes s'étaient eux aussi libérés de leur sépulture. Hormis les traces de terre sur leur peau et leurs vêtements, leur corps était intact, comme si une mort douce et naturelle venait de les cueillir dans leur sommeil. À l'instar de la mère de Susan, ils semblaient hébétés de se retrouver là, au moins autant que Susan, Eliot et Alfred. En voyant sa fille, les yeux d'Emma Prescott se remplirent de larmes et une profonde émotion marqua son visage. Mais elle ne fit aucun geste dans sa direction, ne tenta aucune approche, prononça seulement quelques mots :

— Prends garde, Susan, mon enfant, mon cher ange...

Sitôt ces mots prononcés, elle se raidit et afficha une expression à la fois stupéfaite et résignée.

— Non ! hurla Susan, la main sur la bouche.

De justesse, Alfred la retint de s'élancer vers sa mère.

Car rien ni personne ne pouvait empêcher les flammes de dévorer celle qui avait déjà subi cet horrible sort.

* * *

Le feu mit quelques secondes seulement à accomplir son œuvre. Agenouillée sur le sol, Emma Prescott ne poussa pas un cri, pas un gémissement. Quand tout fut fini, elle se releva, révélant une apparence semblable à celle de son mari, atroce.

Derrière elle, dans un silence seulement troublé par leurs sanglots, les dix Rosebury enduraient eux aussi les tourments qui les avaient emportés, des années auparavant – parfois des siècles. Des plaies se reformèrent, les yeux sortirent de leurs orbites devant l'horreur de ce qui se passait encore, l'empreinte de la mort marqua une nouvelle fois les corps de sang et de douleur.

La mère de Susan regarda son mari. Sa chemise de nuit et sa peau fumaient encore, dégageant une odeur insupportable. Des larmes glissèrent lentement sur ses joues, traçant des sillons sales, tandis qu'elle s'approchait de lui. Du fond du caveau s'éleva alors un cri ressemblant à la plainte d'un être qui souffre. Puis le cri se métamorphosa peu à peu en un hurlement, plein de rage et lourd de menaces. Tout comme les mots s'étaient matérialisés en projectiles de pierre, il prit corps sous la forme d'une main et gifla la mère de Susan avec une telle puissance qu'elle se retrouva projetée en arrière.

Son mari ne fit aucun geste vers elle.

Pas plus qu'il n'exprima une quelconque émotion quand les corps d'Emma Prescott et des dix Rosebury tombèrent à terre, comme des sacs vidés de tout leur contenu.

Susan jeta un regard perdu à Alfred et à Eliot. Tout pouvait s'arrêter ainsi, *si facilement* ?

Mais rien n'était fini. Des formes claires, presque translucides, s'élevèrent bientôt en silence, copies fidèles des corps meurtris.

— Des fantômes… murmura Susan.

Désormais inutiles, les corps ne tardèrent pas à se désagréger, petits tas de poussière puants et dérisoires qui s'envolèrent vers le ciel au premier coup de vent.

Celui d'Emma Prescott flotta un instant, à la recherche de ses repères, et s'adressa enfin à son mari :

— Daniel, laisse Susan, je t'en supplie… Souviens-toi de nous, de notre amour, de notre bonheur. Souviens-toi des deux plus beaux jours de notre vie, celui où nous nous sommes rencontrés et celui où notre petite Susan est née.

— Le pacte doit être honoré, la malédiction doit être menée à son terme, assena l'homme d'une voix atone. Alors, vous les Rosebury, vous n'errerez plus entre le monde des morts et le monde des vivants…

— Et vous ? l'interrompit Emma Prescott. Toi, mon mari que j'ai aimé, et vous, les compagnes de mes ancêtres, que vous a-t-on fait miroiter ? De revenir parmi les vivants ?

Daniel Prescott redressa la tête avec une arrogance glaciale. Face à lui, le fantôme de sa femme vibrait doucement.

— Ne crois pas aux promesses illusoires de Morris, reprit Emma. Une fois que Meredith O'More et lui auront obtenu ce qu'ils veulent, ils n'auront plus besoin de toi ni de personne.

Elle s'approcha, le frôlant presque.

— Il est encore temps, Daniel. Nous souffrons tous suffisamment, mais Susan peut être épargnée. Ne te fais pas le complice de sa mort...

Derrière elle, les dix fantômes des descendants Rosebury faisaient en silence la même supplication aux femmes abîmées.

Et entre ce qui apparaissait de plus en plus nettement comme deux clans, Susan, Eliot, Alfred et Georgette se laissaient gagner malgré eux par une panique grandissante. Ils se trouvaient au cœur d'une histoire où les forces les dépassaient.

Une histoire où le Mal était roi.

Mais ils comptaient bien rester ce qu'ils étaient : de pauvres mortels.

26.

De toute sa vie, jamais Susan n'avait été aussi heureuse de se réveiller.

Heureuse d'être sortie de ce cauchemar.

Heureuse d'être en vie.

Pour le reste, le terme n'était pas vraiment adapté. Entre voir ses parents dans un souvenir enfoui et les voir dans un rêve aussi réel que la réalité, la différence était de poids. Un poids qui pesait aussi lourd qu'un boulet en plomb dans l'esprit de la jeune fille.

Le chuintement des pneus d'une voiture sur l'allée de gravier la tira de ses réflexions. Elle se leva, écarta les épais rideaux et regarda par la fenêtre. Le jour chassait l'aube à grand renfort de nuages gris, enfouissant au loin la petite maison d'Alfred dans une brume maussade.

La portière de la voiture s'ouvrit, James Hopper était de retour. À son grand étonnement, Susan en éprouva un certain plaisir. Lors des quelques moments en sa présence, il lui était apparu comme un homme capable d'apaiser toutes les situations et surtout, grâce à son sens de la dérision, de contourner le caractère un brin psychorigide d'Helen.

D'ailleurs, elle était là, sévère maîtresse de maison accueillant son mari sur le perron du manoir. Elle tendit la joue, mais James lui préféra les lèvres. Il lui mit le bras autour de la taille et la serra avec amour contre lui. D'abord distante, bloquée par sa raideur naturelle, Helen se laissa faire, jusqu'à s'autoriser un léger relâchement qui lui permit de rendre à James son baiser amoureux. Puis tous deux rentrèrent, enlacés.

Depuis sa fenêtre, Susan observait la scène. Il lui était arrivé plusieurs fois de surprendre des moments d'intimité comme celui-ci – et parfois bien plus indécents – au sein des familles où elle avait séjourné. Elle n'en avait jamais éprouvé autre chose que de l'indifférence ou, selon les personnes concernées, une certaine curiosité. Mais aujourd'hui, ce genre de choses revêtait un sens nouveau. Elle songea aux baisers d'Eliot. Elle ne savait pas quoi en penser. En d'autres circonstances, elle aurait envisagé les sentiments qu'elle suscitait en lui comme une garantie pour son avenir chez les Hopper : il était amoureux d'elle et, si un problème advenait, il ne manquerait pas de prendre sa défense. Un véritable atout dans la manche de Susan !

Or rien n'était aussi simple. Eliot était vraiment un garçon… adorable ? gentil ? mignon ? intéressant ?

Touchant ?

Elle soupira. Il était bien plus que cela.

Elle se jeta dans un fauteuil et ramena les genoux contre elle. Elle aurait tout le temps de penser à cela plus tard. Pour le moment, l'amour ne lui était d'aucune utilité, l'urgence était ailleurs, concentrée sur le terrible rêve de la nuit passée.

Non seulement cette fichue malédiction avait emporté ses parents dans une tourmente de feu et de souffrances, mais en plus elle les empêchait de se retrouver comme des gens normaux. Comme Helen et James qui pouvaient laisser libre cours à leur tendresse.

C'était si injuste. Et si cruel.

Pourtant, un doute la taraudait. Le père qu'elle venait de retrouver et celui que le souvenir lui avait rappelé étaient tellement différents. Comment un homme autrefois débordant d'amour pouvait-il devenir un être prêt à sacrifier son propre enfant ? La souffrance pouvait-elle expliquer autant d'insensibilité ? La révolte s'empara de Susan. Elle fit rouler la peau de son avant-bras entre ses doigts, puis elle la pinça très fort jusqu'à ce qu'elle devienne écarlate et que les larmes lui montent aux yeux. Depuis qu'elle était chez les Hopper, c'était la première fois qu'elle éprouvait la nécessité de se maltraiter ainsi. À presque quatorze ans, elle savait bien que la douleur physique ne pouvait se substituer à celle qui la déchirait à l'intérieur d'elle-même. D'habitude, elle réussissait pourtant à créer l'illusion et à se persuader que, si elle pleurait, c'était parce que sa peau était meurtrie. Mais aujourd'hui, elle avait beau s'acharner, rien à faire, elle n'arrivait pas à se duper.

En se redressant, elle avisa les trois marinières achetées la veille par Helen, bien pliées sur la commode, et plus importantes à ses yeux que les vêtements coûteux du magasin branché. Elle retira celle qu'elle portait et en enfila une toute neuve. Le tissu était épais et doux, et les coutures comme elle les aimait, en fins croisillons. De plus, la marinière était parfaitement à sa taille – Helen avait vraiment l'œil – et les croix rouges se trouvaient au bon endroit, juste au niveau du coude. Brodées, elles étaient bien plus belles que celles que Susan traçait au feutre.

Hé ! Tu ne vas pas te mettre à chialer pour un bout de tissu ! se rabroua-t-elle en reniflant bruyamment. *Allez, bouge-toi...*

* * *

Le téléphone sonnait alors qu'elle descendait le grand escalier. Elle regarda autour d'elle, tendit l'oreille : personne à l'horizon. Que faire ? Dans l'état de fébrilité où elle se trouvait, la sonnerie lui porta rapidement sur les nerfs. Elle s'approcha de la console où était posé le téléphone, hésita, puis finit par décrocher.

— Oui, allô ?

— Allô ? Qui est à l'appareil ? grésilla une voix à l'autre bout du fil.

— Euh… c'est Susan…

— Susan qui ? fit la voix.

— Susan Hopper, répondit-elle.

Elle n'aurait pas été plus stupéfaite si c'était quelqu'un d'autre qui venait de prononcer ces mots. Mais qu'est-ce qui lui avait pris ?

— C'est bon, Susan, je vais prendre l'appel…

Susan perdit toute contenance. Helen était là, à ses côtés. D'où sortait-elle ? Elle ne l'avait pas vue venir ! Elle lui tendit le combiné en tremblant et en évitant son regard.

— Oui, allô ? Ici Helen Hopper…

Susan se sauva à toutes jambes. Helen l'avait-elle entendue ? Évidemment ! Il aurait fallu être sourd comme un pot pour ne pas l'entendre et Helen était loin de l'être !

Elle courut de toutes ses forces vers le loch et ne s'arrêta que lorsqu'elle arriva au bord de l'eau, à bout de souffle.

Susan Hopper… Non mais qu'est-ce que tu crois ? T'es complètement mytho, ma pauvre fille. Tu n'es pas et tu ne seras jamais Susan Hopper !

Cette fois, elle se mit à pleurer pour de bon.

Pourquoi tout va-t-il toujours de travers ?

Le tintement de la cloche lui fit redresser la tête. Était-elle là depuis longtemps, prostrée au bord des eaux noires ? Elle l'ignorait. Tout ce qu'elle savait, c'était que la lassitude l'accablait au

319

point de l'empêcher de réfléchir. À quoi bon, d'ailleurs ? Elle se leva, frotta son jean et essuya son visage d'un revers brutal de la main. Elle devait avoir une tête épouvantable...

En longeant le sentier bordé de rosiers qui menait au manoir, elle aperçut Helen qui l'observait depuis une des fenêtres du rez-de-chaussée. Son ventre se noua. La perspective de faire demi-tour la tentait terriblement. Faire demi-tour et courir, courir jusqu'à ce que ses jambes ne puissent plus la porter, courir à l'autre bout du monde, là où personne ne verrait tout ce mal qu'elle portait en elle.

— Susan !

Eliot venait à sa rencontre. Georgette bondissait à ses côtés, insouciante petite créature. Dès que Susan entra dans son champ de vision, elle trottina jusqu'à elle. Elle haleta, en quête d'une caresse, et arracha à la jeune fille un sourire fragile.

— Ça va ? demanda Eliot.

Ses grosses lunettes de ski dissimulaient son inquiétude, mais sa voix l'exprimait sans conteste.

— Mmm... grommela Susan.

— Mes parents voudraient qu'on prenne le petit déjeuner avec eux. Mon père est revenu, tu sais.

Susan acquiesça. Eliot l'observa encore un instant.

— Ce qu'on a vu cette nuit est atroce, lâcha-t-il. Et je sais que ce que je ressens est à des années-lumière de ce que tu endures. Mais il faut que tu saches que je serai toujours là pour t'aider à supporter.

Oh... Avec cette histoire de Susan Hopper, j'avais presque laissé ce cauchemar de côté...

— Merci... Eliot...

— Bon, maintenant, il faut qu'on y aille si on ne veut pas s'attirer des ennuis.

— T'as raison... On en a déjà assez comme ça, pas la peine d'en rajouter.

Elle émit un petit rire sans joie et emboîta le pas à son ami, un peu étonnée par le cheminement de ses pensées et le chavirement provoqué par ses émotions.

Si Eliot l'avait prise dans ses bras à ce moment-là, elle n'aurait pas été contre.

* * *

— Encore un peu de confiture, Susan ? Tu sais qu'elle a été faite avec les fraises des bois cueillies sur le domaine ?

— Oh, c'est extra... répondit Susan d'un air si distant qu'il pouvait paraître presque impertinent.

Hormis les petits coups d'œil qu'elle jetait de temps à autre à la jeune fille, Helen se comportait tout à fait normalement, lui adressant la parole comme si rien ne s'était passé. Penaude, la jeune fille esquivait les perches qu'elle lui lançait avec pourtant beaucoup de délicatesse, consciente du risque qu'elle prenait : son attitude était typique de l'adolescente ingrate et taciturne. Rien qui pût jouer en sa faveur...

Je ne suis pas comme ça. Je ne suis pas comme ça !

— Alors, qu'est-ce que vous avez prévu de faire aujourd'hui ? demanda James.

— Je vais apprendre à nager à Susan, répondit Eliot.

Susan faillit s'étouffer avec sa tartine. Elle déglutit, un peu trop bruyamment à son goût, et finit par tousser. Helen se leva et vint lui tapoter le dos, geste d'une incroyable audace qui sembla surprendre autant son fils que son mari. Au comble de la gêne, Susan ne la vit pas leur faire les gros yeux.

— Eh bien, on dirait que la principale intéressée n'est pas au courant ! lança James d'un ton léger.

Susan se calma tant bien que mal, s'attendant à tout moment à ce qu'on lui fît l'inévitable remarque : « Ah, tu ne sais pas nager ? »

Eh ben, non, je ne sais pas nager, et alors ?

Mais James et Helen Hopper, même s'ils le pensaient, s'abstinrent de le dire.

— C'est une excellente idée !

— Faites seulement attention à Georgette, prévint Helen. Elle vous suit partout, mais l'eau n'est pas son élément. Elle coulerait comme une pierre !

La nervosité aidant, Susan ne put s'empêcher de sourire à la pensée de la chienne dodue prenant son élan pour plonger dans la piscine, petites pattes en avant. Mais quand Eliot suggéra de mettre un brassard en guise de bouée autour du sémillant animal, elle explosa de rire. Le garçon lui fit écho et l'hilarité se répandit bientôt à Helen et James.

— Est-ce que tu es d'accord, au moins ? fit Helen, une fois le calme retrouvé.

— Oui, je veux bien… répondit Susan en pensant absolument le contraire.

Helen réfléchit un instant avant de lancer :

— Je crois bien que ma nièce a laissé quelques affaires de bain, la dernière fois qu'elle est venue nous rendre visite…

— Ah… Ma femme et son exemplaire sens pratique… l'interrompit James.

— Tssst… fit Helen, l'air pince-sans-rire. Ma nièce a un an de moins que toi, Susan, ça devrait aller.

Susan avait espéré, à tort, que le fait de ne pas avoir de maillot de bain ferait échouer le projet d'Eliot avant même sa réalisation. Mais finalement, ce n'était peut-être pas une si mauvaise idée. Elle termina son petit déjeuner, le regard glissant sur les Hopper. Elle se sentait si bien avec eux. En dépit de tout, du passé, des cauchemars, de ses origines, de la menace. Soudain, alors qu'elle buvait une dernière gorgée de jus d'orange, elle se figea, prise d'une pensée éclatante.

Une certitude.

Une évidence.

Si un bon génie surgissait à cet instant, Dieu, une fée ou n'importe qui capable d'exaucer un seul vœu, elle savait exactement ce qu'elle lui demanderait.

L'important n'était pas ce qu'elle était.

L'important était ce qu'elle voulait être.

Susan Hopper.

Elle voulait être Susan Hopper.

27.

Elle ne s'était jamais vraiment demandé à quoi elle ressemblait, comment les autres la voyaient, notamment les garçons. Elle n'était pas du genre à passer des heures à s'observer dans un miroir, se souciait peu de ses vêtements – jean et marinière étaient sa tenue quasiment exclusive – ou de ses cheveux – elle les laissait couper de quelques centimètres deux fois par an, ça suffisait amplement.

D'accord, elle se savait mignonne et, en grandissant, elle avait compris qu'avoir un visage d'ange apportait bien des avantages, à commencer par une certaine indulgence de la part des autres quand son esprit malin faisait des siennes : on s'intéressait à elle et on lui pardonnait beaucoup de choses grâce à son « adorable frimousse ». À l'inverse, elle s'était rendu compte qu'on agissait souvent de même avec les très moches. Celles et ceux qui n'étaient ni beaux ni laids attiraient moins d'attention, moins de sympathie. Moins d'intérêt. C'était ainsi, injuste et infondé.

On lui avait déjà fait deux déclarations d'amour lorsqu'elle était au Home. La première quand elle avait onze ans, le garçon en avait treize, il n'était pas resté longtemps, une famille l'avait rapidement accueilli. La deuxième fois, c'était six mois plus tôt. Un garçon de quatorze ans lui avait demandé si elle voulait bien sortir avec lui. Étonnée, elle l'avait envoyé promener avec autant de diplomatie qu'elle avait pu, même si ce n'était pas sa principale qualité. Mais son instinct et ses expériences accumulées ici ou là au cours de ces va-et-vient dans les familles lui avaient appris que les blessures d'amour-propre étaient les pires. Amour-propre… Quel drôle de mot…

Non. Les garçons ne l'avaient jamais intéressée. Elle avait toujours préféré séduire les adultes, en particulier ceux qui pouvaient infléchir le cours de sa vie.

Mais là, c'était différent.

Les Hopper étaient différents.

Elle regarda son reflet dans la psyché. Elle avait craint que le maillot de bain de la nièce d'Helen ne fût un ignoble truc de midinette avec des volants, des balconnets ou autres détails qui échappaient à sa compréhension. Mais ouf, le maillot était de style sportif. Et il lui allait plutôt bien, constata-t-elle en se tournant et se retournant.

Pourquoi faisait-elle cela ? Pourquoi s'observait-elle sous toutes les coutures ? Pourquoi avait-elle accepté la proposition d'Eliot ? Et son baiser ?

Elle secoua la tête. Mais la pensée s'accrochait, inflexible, inoxydable.

Eliot…

Eliot.

Elle enfila sa marinière et son pantalon, attrapa une serviette et descendit l'escalier avec une précipitation qui l'étonnait elle-même.

Il ne manquerait plus que je me mette à rougir…

* * *

— Ah, te voilà ! s'exclama Eliot, accoudé au rebord de la piscine. J'étais en train de me demander si tu ne cherchais pas à m'éviter !

— Pourquoi je t'éviterais ? rétorqua Susan en le regardant droit dans les yeux avec un soupçon de provocation.

Amusé, il écarta les bras et se jeta en arrière dans une gerbe de gouttelettes d'eau chlorée. Au-dessus de lui, un arc-en-ciel se forma. Aussitôt, Susan examina le dôme de plexiglas qui recouvrait la piscine.

— Tu n'as pas de protection ? demanda-t-elle sans pouvoir cacher son inquiétude. Ça craint, non ?

— Mes parents ont fait poser des filtres sur toute la surface, expliqua le garçon. Les UV peuvent toujours courir s'il veulent me faire cramer…

Le regard assombri, il fit volte-face et s'enfonça sous l'eau. Susan en profita pour retirer ses habits. Se déshabiller avec, sur soi, le regard d'un garçon, quel qu'il fût, n'était pas… envisageable. Elle roula ses affaires en boule, enleva ses tennis en toile et se retrouva vite prise au dépourvu. Eliot s'ébattait dans l'eau, à l'aise, pendant qu'elle était là, ne sachant que faire de ses mains et de tout son corps dénudé. Son manque d'habitude face à certaines situations de la vie courante pouvait se révéler tellement flagrant… Et si elle parvenait habilement à cacher la plupart des choses, là, elle se sentait totalement dépourvue.

— Viens ! l'appela Eliot depuis la partie la moins profonde de la piscine. Ici, on a pied.

Elle marcha avec précaution au bord du bassin, tout en essayant de ne pas penser au regard d'Eliot qui la suivait. Était-elle jolie en maillot de bain ? Son visage l'était, mais son corps ? N'était-il pas trop maigre ? Trop blafard ? Et ses bras ? Voyait-on les marques des pincements qu'elle s'était infligés ? Elle risqua un coup d'œil. Bien sûr qu'on les voyait et, à un moment ou à un autre, Eliot ne manquerait pas de les remarquer. Qu'est-ce qu'il allait penser ?

— T'as vu comme l'eau est chaude ? On est mieux dedans que dehors, je t'assure !

Sans s'en rendre compte, elle avait descendu les deux premières marches. L'eau lui arrivait aux mollets – ses mollets de coq hérissés par la température de l'air, un peu frisquette aujourd'hui.

Elle fit semblant de ne pas voir la main qu'Eliot lui tendait, et elle se laissa glisser dans l'eau. Il avait raison, s'immerger était délicieux. Elle resta un instant assise sur la marche la plus basse, de l'eau jusqu'au cou, le corps couvert. Pendant ce temps, Eliot s'était éloigné jusqu'à l'autre bout de la piscine et revenait déjà, sous l'eau, générant des ondes qui formaient de petites vaguelettes. Arrivé devant elle, il sortit la tête de l'eau et passa la main dans ses cheveux pour les rejeter en arrière. La luminosité particulière du lieu intensifiait sa pâleur, ainsi que le vert de ses yeux, Susan avait l'impression de le découvrir et en fut surprise – d'ordinaire, elle trouvait les yeux verts bizarres, un peu dérangeants ; ceux d'Eliot lui plaisaient plutôt, pour ne pas dire qu'ils la troublaient franchement.

— Tu nages vraiment bien ! fit elle, comme pour dire quelque chose.

C'est nul comme remarque, Susan. Super nul.

Mais Eliot semblait apprécier. Il lui fit un grand sourire heureux.

— Et bientôt, tu me battras à la course, tu verras !

— Si je ne suis pas emportée par cette foutue malédiction avant…

Eliot se rembrunit, alors que Susan baissait la tête, confuse. Elle n'avait pas du tout voulu dire ça. Pourquoi fallait-il qu'elle gâche tout, tout le temps ? Elle n'était vraiment bonne qu'à ça, détruire ce qui était beau et bien ? Saboter des moments parfaits comme celui-là ?

— Tu sais bien que grand-père et moi, on ne te laissera pas « emporter », comme tu dis… répli-

329

qua Eliot, d'un air extrêmement sérieux. On est là, ne l'oublie pas.

Elle fouilla au fond d'elle-même, cherchant quelle attitude avoir, quel air prendre. Celui de la Biche-apeurée ? Ou bien celui de l'Orpheline-éperdue-de-reconnaissance ? Mais pour la première fois de sa vie, elle était incapable de feindre la moindre réaction. Elle leva les yeux et regarda Eliot.

Apeurée et reconnaissante, elle l'était réellement, profondément.

— Même si tout ce qui arrive dépasse la raison, on ne te laissera jamais tomber, insista Eliot. Rentre bien ça dans ta petite tête, d'accord ? conclut-il en appuyant son doigt sur le front de Susan.

— D'accord... murmura Susan.

— Et maintenant, on va voir si tu es une bonne élève !

Il lui tendit une petite planche en mousse.

— Tu vas mettre ça sous ton ventre et t'allonger dessus.

Elle obéit sans broncher.

— Voilà, tu te laisses flotter, comme ça... dit-il.

En disant ces mots, il s'enfonça sous l'eau et saisit les jambes de Susan avec délicatesse pour les ramener à la surface. Elle faillit se dégager d'un coup de pied nerveux, mais s'en abstint : malgré la gêne, elle avait envie que la leçon continue. Elle se laissa flotter, accrochée à sa planche, puis elle commença à remuer les jambes.

— Comme une grenouille, oui, c'est ça... approuva Eliot.

Il fit bifurquer la planche d'un geste ferme.

— Tu restes là où tu as pied, ordonna-t-il.

Susan effectua quelques largeurs en s'efforçant d'appliquer à la lettre les indications de son professeur : respiration, mouvements des bras, position des mains. Il accompagnait chaque conseil d'un geste, tendre et précis à la fois, frôlant ses épaules, effleurant son dos, chuchotant des encouragements à son oreille. Il tenta deux fois de l'embrasser. La troisième fois, Susan se laissa faire, brièvement, le corps en équilibre sur sa planche flottante.

— Bon, ça suffit pour aujourd'hui, t'as bien bossé !

— Merci, chef ! s'exclama Susan.

— La prochaine fois, ce sera sans la planche.

— D'accord, chef !

Dégoulinants, ils se précipitèrent vers les transats installés au bord de la piscine.

— J'ai une devinette pour toi ! lança Eliot.

— Vas-y !

— Qui suis-je ? fit-il, emmailloté dans son drap de bain, les bras le long du corps.

— Euh... une momie ?

Eliot leva les yeux au ciel, hilare.

— Pas du tout. Je suis un nem, Susan, un nem !

Susan éclata de rire.

— T'es pas trop exigeante en devinettes, dis donc !

— Ça dépend… répliqua-t-elle en s'essuyant les cheveux.

Ils s'allongèrent chacun sur un transat, détendus, les yeux fixés sur le ciel gris qu'on pouvait voir à travers le plexiglas du dôme. Un couple de corneilles passa au-dessus du dôme en croassant, histoire de ne pas faire oublier qu'on se trouvait au cœur de la lande écossaise, et non dans une oasis, ainsi que ce havre azuré pouvait le laisser penser. Cette évocation fit sourire Susan.

Un rayon de soleil filtra, pâle et timide, et entraîna un infime réchauffement sur ses épaules, son visage. Pourtant, au-delà de ce plaisir éphémère, elle s'inquiéta. Mais Eliot ne craignait rien, il le lui avait assuré. Alors, elle reprit sa pose et ferma bientôt les yeux.

Il faisait tiède, l'eau clapotait, elle était bien.

Elle sentit l'index d'Eliot caresser son avant-bras, là où les marques des pincements étaient le plus visibles.

Un vertige lui fit tourner la tête. Honte ? Bien-être ?

Elle sentit la main d'Eliot prendre la sienne.

Elle se laissa faire.

Il entrecroisa ses doigts aux siens.

Elle les serra, tendrement.

28.

En vibrant, le téléphone portable d'Eliot se déplaça de quelques centimètres sur le sol carrelé. Le jeune homme se pencha, s'en saisit et regarda le petit écran.

— Tu ne décroches pas ? demanda Susan.

— C'est un SMS, répondit-il. De grand-père.

Il lui jeta un regard curieux, mais n'insista pas, et Susan lui en fut reconnaissante. Non, elle n'avait pas l'habitude de ce genre de choses. Non, elle n'avait jamais eu de portable, « inutile d'enfoncer le clou... », comme aurait dit Mme Silver, dix-neuvième famille d'accueil.

— Il veut savoir si tout va bien, poursuivit Eliot. Je lui réponds tout de suite pour le rassurer, et pour lui dire qu'on va passer le voir. Enfin... si tu veux...

Susan approuva vivement. Après les événements de la nuit dernière, il devait être très inquiet.

— Voilà, c'est fait, annonça Eliot. Il nous reste environ une heure avant l'échéance incontournable.

Susan fronça les sourcils.

— L'échéance incontournable ? répéta-t-elle.

— Le déjeuner ! Impossible de le rater, on se ferait hacher menu par ma mère...

Ils rirent de bon cœur, malgré la menace, et s'empressèrent de s'habiller. Mais Eliot n'en avait pas terminé : il lui restait à mettre sa combinaison et ses lunettes.

— J'en ai vraiment marre de cette combinaison pourrie... grommela-t-il en faisant des gestes brutaux, énervés.

Susan l'observait, défaite par son impuissance. Que faire pour soulager son ami ? Comment l'aider ?

Pour commencer, arrête de réfléchir et agis donc au lieu de tout vouloir programmer ! se sermonna-t-elle. *Les plans d'action pour tout et n'importe quoi, ça suffit !*

Eliot était en train d'étirer l'élastique de ses lunettes de ski, elle s'approcha et les lui enleva des mains.

— Laisse-moi faire, ordonna-t-elle.

— Bien, chef... répliqua-t-il, sa bonne humeur retrouvée.

— C'est pas beau de copier, tu sais...

Elle lui adressa un sourire avant de rabaisser les lunettes sur ses yeux. Il le lui rendit, plus éclatant encore.

Tu vois, c'est pas si compliqué...

* * *

Si Alfred se montra très heureux de voir les deux ados, il ne leur cacha pas non plus son inquiétude.

— Même si je suis un homme de sciences, je n'ai jamais exclu le surnaturel de mes convictions. Ce que nous vivons se révèle d'une puissance dévastatrice, nous devons être très prudents.

— Mais comment ? s'exclama Susan. On ne contrôle rien !

Alfred passa les doigts dans sa barbiche et la peigna d'un air préoccupé.

— Tu as diablement raison, dit-il. Nous pouvons seulement faire face et trouver les solutions *ad hoc* au fur et à mesure des événements auxquels nous sommes confrontés.

Les solutions ad hoc *? Il faudrait presque un dictionnaire pour discuter avec ce vieux fou...*

Il leur versa du thé tout juste infusé qu'ils burent tous trois en silence.

— Tu tiens le choc, miss Susan ?

La jeune fille faillit recracher son thé. La sollicitude était naturelle chez les Hopper. Mais elle, Susan Prescott, était habituée à des rapports nettement plus sommaires. Elle marmonna un vague acquiescement, frustrée de ne pas savoir mieux faire.

Personne n'évoquait l'appel du père de Susan, ni les supplications de sa mère pour qu'il la laissât tranquille. Et pourtant, le cœur du problème se trouvait là.

— Je dois mourir... balbutia-t-elle.

Elle aurait adoré qu'Alfred et Eliot la contredisent dans un bel élan. Peut-être s'était-elle trompée ? Peut-être avait-elle mal compris, exagéré, dramatisé ? Mais au fond d'elle, elle savait que non. Et le silence du grand-père et de son petit-fils le lui confirmait. Alfred tournait ses innombrables bracelets et montres entre les doigts, et son visage se tordit d'une façon bizarre lorsqu'il se mordilla l'intérieur de la joue. Quant à Eliot, il semblait aussi accablé que révolté.

Un coucou suisse les fit sursauter en annonçant l'heure, outrageusement guilleret dans l'ambiance sombre qui régnait dans la petite maison de chasse.

— Tous ces gens ont dû beaucoup souffrir et souffrent encore, certainement… répondit enfin Alfred, les yeux dans le vague. Mais rien ne doit justifier qu'on te fasse du mal.

Il braqua tout à coup le regard sur Susan.

— Garde bien ça en tête, miss Susan.

Elle détourna les yeux, en proie à une violente envie de pleurer. Mais hors de question de se laisser aller ! La main sous la table, elle souleva légèrement sa marinière et se pinça la peau du ventre. L'espace d'un instant, la douleur physique détourna l'autre, si intérieure. Mais l'illusion ne dura pas et les deux maux finirent par s'additionner, aggravant les souffrances de Susan.

29.

Eliot fit tout son possible pour distraire son amie, mais l'après-midi fila à toute vitesse, comme si le temps était pressé d'avancer afin d'arriver au soir, puis à la nuit. Serait-elle encore pire que les précédentes ? Elles l'avaient toutes été... Et ni Susan ni Eliot ne l'oubliaient.

Parallèlement, la jeune fille devait faire face à un autre tourment, plus terre à terre mais tout aussi important.

Helen paraissait tracassée de la voir dans cet état de tension permanente. Sans doute croyait-elle que la gêne née de l'épisode « Susan Hopper » en était la cause... Pourtant, elle ne lui en tenait aucune rigueur et redoublait même de prévenance, s'inquiétant qu'elle n'ait pas trop froid à l'issue de sa deuxième séance de natation, l'invitant à venir cueillir des roses avec elle et lui présentant chaque variété... Elle gardait cet air sévère, cette sorte de rigidité, en toutes circonstances. Mais Susan parvenait désormais à déceler de petites choses à travers les inflexions de sa voix, le bleu glacé de ses yeux, ses gestes. Parfois, dans un infime relâchement, ses postures trahissaient un potentiel sous-exploité de douceur, et même une certaine forme d'humour.

Assise aux côtés d'Eliot dans l'herbe du parc, elle en fit la remarque.

— Nous sommes peu nombreux à l'avoir démasquée... lui confia le garçon. Et figure-toi qu'il lui arrive même de lancer des jurons atroces.

— Non ! s'étonna Susan.

— Si, je t'assure. Quand elle se fait mal ou qu'elle a raté le vernis d'un meuble, par exemple, c'est une horreur ! Quand j'étais petit, mon père me bouchait les oreilles tellement c'était trash. Maintenant, on en rigole tous les deux.

— C'est difficile à croire, elle est si... bien élevée !

— Grand-père dit qu'elle est atteinte de coprolalie et que c'est incurable...

— Ah, Alfred et ses drôles de mots...

Susan lui jeta un coup d'œil en biais.

— Pourquoi Helen et Alfred sont-ils aussi hostiles l'un envers l'autre ? demanda-t-elle, à nouveau sérieuse.

— Ils sont très différents...

— C'est tout ? C'est un peu léger !

Eliot fit mine de s'intéresser à Georgette qui courait dans tous les sens.

— Regarde-la, cette petite saucisse ! Elle se prend pour une gazelle !

— Tu ne veux pas me dire ? insista Susan.

Le jeune homme soupira.

— Ils ne se sont jamais bien entendus, lâcha-t-il. Mais ça a vraiment empiré à la mort de ma grand-mère, il y a trois ans.

— Qu'est-ce qui s'est passé ?

— Mes grands-parents vivaient au manoir avec nous, ils étaient indépendants, c'était chacun chez soi : eux dans une partie, nous dans une autre, ça se passait plutôt bien. Et puis, un jour, grand-mère est tombée malade. Cancer… Elle était condamnée et grand-père voulait qu'elle vive ses derniers instants au manoir. Au contraire, ma mère pensait qu'il fallait l'hospitaliser pour qu'elle puisse bénéficier des meilleurs soins. Grand-père s'y est opposé et s'est chargé lui-même de soigner grand-mère. Elle est morte en douceur, sans souffrir, grâce aux méthodes naturelles de grand-père. Mais ma mère l'a accusé d'avoir précipité la fin et, depuis, il refuse de lui parler. De son côté, ma mère garde une rancune profonde, elle aimait beaucoup ma grand-mère.

— Waouh… siffla Susan. C'est dur. Je comprends un peu mieux pourquoi elle ne veut pas que tu t'approches d'Alfred.

Eliot lui jeta un regard douloureux.

— Alfred n'y est pour rien ! fit-il, la mâchoire contractée. Rien ni personne ne pouvait sauver grand-mère.

— Oui, mais elle a tellement peur pour toi…

Eliot soupira et resta silencieux un moment avant de changer radicalement de sujet :

— Tu sais que dans une semaine, c'est la rentrée ?

— Arrête, j'essayais de l'oublier…

— Tu n'aimes pas le collège ?

— Ça dépend…

Eliot sourit.

— Tu dis souvent ça.

Il s'allongea de tout son long dans l'herbe, les bras derrière la tête, étrange silhouette enveloppée dans sa protection intégrale. L'envie de retirer ses lunettes de ski était grande : regarder Susan à travers ce filtre rouge gâchait un peu de son plaisir.

— C'est bien que tu sois là, que tu existes… murmura-t-il.

Susan baissa la tête.

L'avait-elle entendu ?

Bien sûr.

30.

Susan s'était endormie, vaincue sans avoir vraiment résisté. De toute façon, les *choses* arrivaient, qu'elle le veuille ou non, qu'elle soit éveillée ou en plein sommeil.

Elle se retrouva dans le vestibule du cimetière sans en éprouver la moindre surprise. Elle noua le foulard bleu qu'elle serrait contre elle au moment de s'assoupir et le glissa sous sa marinière. Si elle le perdait là, dans le rêve, ce serait une catastrophe.

Devant elle, les deux battants de la porte qui ouvrait sur le cimetière grinçaient sur leurs gonds et semblaient se refermer. Quant à la pièce où était Susan, ses murs se rapprochaient, millimètre par millimètre. Le rythme s'accéléra, tout comme la respiration de Susan. Elle n'avait pas du tout envie de sortir d'ici pour aller là-bas.

Toutefois, quand le plafond atteignit sa tête, elle capitula.

— Eliot ! Alfred ! Venez vite, je vous en prie ! cria-t-elle en franchissant la porte.

La pièce disparut derrière elle.

341

Désespérément seule, Susan se trouvait désormais dans la pénombre, devant ces tombes et ce caveau monstrueux. La brume angoissante, agressive, l'entoura bientôt, frôla ses mains, glissa le long de ses joues, l'enserra peu à peu dans ses rets pourtant impalpables.

Susan se mit à trembler quand elle sentit l'odeur qui véhiculait tant de malheur et d'épouvante. Confirmant ce qu'elle redoutait, des ombres sortirent du monument funéraire. Du bout des doigts, Susan vérifia que le couteau de Mme Pym était bien là – la panique faussait sa perception, elle finissait par douter – et elle s'en saisit. Elle recula dans la direction où le vestibule lumineux venait de disparaître, espérant y trouver un refuge, quelque chose. Mais il n'y avait rien.

Et pire que tout, plus elle reculait, plus le cimetière et les ombres se rapprochaient.

Soudain, la brume la renversa, avec autant de puissance qu'un être humain lui assenant un coup de pied ou de bâton dans le creux des reins. Le couteau voltigea et se perdit dans l'herbe, alors que Susan poussait un cri étouffé et tombait en avant. Ses genoux produisirent un bruit de succion en s'enfonçant dans la terre spongieuse, elle eut l'impression que le sol salivait à la perspective de la dévorer, ce qui la fit se relever aussitôt en gémissant de douleur.

Mais un second coup en plein ventre la jeta à nouveau à terre. La douleur lui coupa le souffle et fit bourdonner ses oreilles. Sa vue se brouilla alors qu'elle sentait son corps laisser échapper toutes ses forces.

Comme si la vie s'écoulait peu à peu hors d'elle.

Couchée en chien de fusil, le nez dans la terre humide, elle ferma les yeux.

C'était donc ainsi que tout allait finir…

* * *

Dommage.
Tant pis.

* * *

— Susan ! Ça va ?

Eliot se précipita vers elle et l'aida à se relever. Hébétée, elle se serra contre lui lorsqu'il la prit dans ses bras.

— J'ai été… J'ai été attaquée… murmura-t-elle en s'accrochant à lui, les larmes aux yeux.

— Miss Susan, Dieu soit loué, tu n'as rien…

— Oh, Alfred ! s'exclama-t-elle en se tournant vers le vieil original en kilt.

— *Ze* suis là, moi aussi !

— La petite saucisse…

— *Vi*, mais faudra pas me *manzer*, c'est pas *zénialement* bon les saucisses de *sien* !

— On ne te mangera pas, brave Georgette, promis, assura Alfred.

Puis, regardant tout autour de lui avec l'air d'un vieux flibustier, il lança :

— Bon, que se passe-t-il ici ?

— Je crois que nous sommes attendus... répondit Susan.

Elle leur montra la dizaine d'ombres qui traversaient les bandes de brume. Ils s'avancèrent tous les quatre, la main sur leur arme de fortune, Georgette grondant à leurs côtés. Face à eux, les ombres approchaient, elles aussi, pour devenir bientôt des silhouettes, puis des êtres de chair et d'os.

— Susan, ma fille... Tu es là...

— Papa ? bredouilla la jeune fille.

Il fit un pas vers elle. Elle recula. Il avait beau être son père, son aspect était si effrayant... Elle s'en voulut, mais c'était plus fort qu'elle, la perspective d'un contact, quel qu'il fût, lui répugnait.

Les dix femmes, présentes dans le dernier rêve, s'étaient jointes à Daniel Prescott. Tout comme lui, elles avaient le regard voilé et les vêtements souillés par les blessures subies des années plus tôt. Il émanait d'eux tant de souffrance... Un sentiment de pitié gonfla dans le cœur de Susan, l'amenant à passer outre son dégoût et la terreur qui l'accompagnait.

— Les pauvres... murmura-t-elle.

— Ne te laisse pas attendrir, miss Susan, la prévint Alfred.

— C'est atroce.

— Tu n'y peux rien...

Le vieil homme fut interrompu par un ruban de brume qui le bâillonna. Il tenta de l'arracher, vainement.

— Viens, Susan, fit Daniel Prescott. Venez, tous ! Je vais vous montrer quelque chose.

Susan regarda Alfred et Eliot d'un air paniqué. Que faire ? Mais aucun d'eux n'avait le choix : la brume les poussait à suivre l'homme, qu'ils le veuillent ou non. Escortés par les dix femmes, ils lui emboîtèrent le pas et traversèrent le cimetière. Au passage, Susan jeta un coup d'œil à la tombe de sa mère. La terre était retournée, comme celle des autres sépultures.

Où étaient les Rosebury ?

Daniel Prescott surprit son regard.

— Les Rosebury s'en sont allés, Susan, fit-il d'une voix rauque. Tu l'as vu toi-même...

Il conduisit les quatre visiteurs jusqu'à la clairière qu'ils avaient aperçue lors du premier rêve. Des tombes, anciennes et petites – des enfants reposaient là, à n'en pas douter –, se dressaient dans l'herbe parsemée de fleurs alourdies par la rosée.

— Qu'est-ce que c'est ? À qui sont ces tombes ?

— Ce sont celles des enfants qui ont donné leur vie pour que lady O'More conserve la sienne, répondit leur guide sans la moindre émotion.

Susan et ses compagnons s'entreregardèrent avec horreur : une bonne cinquantaine de pierres tombales se hérissaient dans la clairière, la plupart surmontées de statues d'angelots.

— Comment a-t-elle pu... balbutia Susan.

— Certains choix exigent des sacrifices, fit Daniel Prescott.

— On ne peut pas dire que lady O'More en ait fait beaucoup... marmonna Eliot.

— Elle en a fait beaucoup plus que tu ne le penses ! répliqua le père de Susan d'un ton acerbe.

— Ils n'étaient que des enfants innocents !

Une bourrasque se leva et chassa la brume. Le ciel étoilé apparut au-dessus de la clairière, paré d'une lune pleine et pâle.

— Lady O'More a plus souffert que n'importe lequel d'entre nous, poursuivit Daniel Prescott.

— Plus que toi ? rétorqua Susan, tremblante de colère et de peur. Plus que ces enfants ? Plus que... maman ?

Son père la dévisagea longuement avant de répondre :

— Oui, nous souffrons. Nous souffrons terriblement, sans répit. Mais toi, ma tendre petite Susan, toi qui seule peux mettre fin à notre supplice, tu refuses de nous aider...

— Je ne peux pas faire ce que tu me dis !

— Mais, tôt ou tard, tu nous rejoindras... fit son père. Il le faut.

Était-il las ? triste ? résigné ?

Non.

Il n'était rien de tout cela.

Il était froid.

Déshumain.

Dès qu'il eut fait un signe de la main, les femmes se jetèrent sur Susan et ses compagnons, et les immobilisèrent en leur bloquant les bras. Ils se débattirent, mais les entraves se resserrèrent davantage encore, les mains des femmes s'enfonçant dans leur peau sans ménagement.

Daniel Prescott s'approcha d'Eliot.

— Montre-moi ton visage, murmura-t-il.

— Laisse-le ! hurla Susan.

Elle donna des coups de pied, cracha au visage des deux femmes qui la maintenaient prisonnière. Mais rien n'y fit. Son père arracha les lunettes d'Eliot, puis lui retira violemment sa capuche.

Le cri provenant des profondeurs du caveau résonna à nouveau, se faufila entre les tombes, parvint jusqu'à eux en fouettant leur peau. Dans le ciel, comme si le temps s'accélérait, quelques nuages défilèrent à toute vitesse, alors que la lune terminait sa route nocturne, laissant place à l'aube.

L'horizon s'éclaircit.

Une mince bande blanche se dessina en bordure de la clairière, prit une teinte dorée de plus en plus vive, jusqu'à gagner le ciel encore endormi.

Puis le soleil jaillit, orange et victorieux. En quelques secondes, il fut à son zénith.

— Non ! hurla Susan, alors qu'Alfred luttait en grondant pour se dégager. Je t'en prie, non !

Mais Daniel Prescott restait hermétique aux suppliques de sa fille. Il se posta derrière Eliot, saisit sa tête et la maintint de force.

Bouche bée, le jeune homme reçut les premiers rayons sur son visage découvert. Il jeta un regard paniqué à Susan et disparut.

31.

Une atmosphère crépusculaire s'abattit sur le cimetière. Le ciel, marbré de noir et de violet, sembla gronder de sinistres menaces, alors que des ombres blanches, presque phosphorescentes, dévalaient soudain la colline qui menait au vallon. Les onze fantômes des Rosebury arrivaient à la rescousse, provoquant une certaine méfiance dans le clan de Daniel Prescott.

Les femmes lâchèrent Susan, Alfred et Georgette, et reculèrent.

— Qu'as-tu fait ? s'écria la mère de Susan à l'intention de son mari.

Sa silhouette spectrale s'élança vers lui, vibrante de colère. Bien qu'impalpable, son approche fut stoppée net par le cri qui, arraché des profondeurs du caveau, la projeta en arrière.

— J'ai fait ce qu'on attendait de moi, lui répondit Daniel Prescott.

Emma le regarda d'un air accablé, des larmes coulant de ses yeux de suppliciée.

— Qu'es-tu devenu ? gémit-elle. Où est l'homme épris de bonté et de liberté que j'aimais tant ?

Pas un frémissement, pas une émotion n'ébranla le visage de Daniel.

— Un homme qui n'est ni mort ni vivant ne peut pas être libre, Emma. Quant à ma bonté, elle est le prix à payer pour retrouver enfin ce que j'ai perdu. Ce que nous avons tous perdu.

— Tu veux parler de… la vie ?

Daniel Prescott et les dix femmes à ses côtés se redressèrent, déterminés et convaincus.

— Vous vous obstinez à croire que lady O'More et Morris vous permettront de vivre à nouveau parmi les vivants, mais vous vous trompez… murmura Emma Prescott.

Son mari lui adressa un regard désincarné.

— Une fois que la malédiction sera accomplie, lady O'More aura obtenu ce qu'elle voulait : se venger des Rosebury et retrouver la vie éternelle. Mais aucun de nous n'aura plus aucune raison d'être. Nous serons morts, enfin et pour toujours.

— Mais nous avons conclu un pacte et nul ne peut le briser.

— Lady O'More n'est pas une femme d'honneur : elle est une criminelle qui n'a pas hésité à tuer des dizaines d'enfants, y compris le sien, t'en rends-tu compte ? Tu crois vraiment qu'une femme capable de massacrer son propre enfant sait ce que tenir parole veut dire ? Le pacte qu'elle a conclu avec toi et avec chacune de vous est un leurre. Dès qu'elle renaîtra, vous serez morts et damnés pour l'éternité, vous ne connaîtrez jamais la paix.

350

Elle se tourna soudain vers Susan. La jeune fille tenait à peine sur ses jambes, encore sous le choc d'avoir vu Eliot exposé aux rayons mordants du soleil de midi.

Pourvu qu'il n'ait rien... Pourvu que tout ça soit une illusion...

Sa mère prit ses mains entre les siennes. Ce contact spectral s'avéra terrifiant, mais Susan se laissa faire. La chemise de nuit d'Emma Prescott fumait un peu, l'odeur émanant de son fantôme était atroce. Pourtant, il lui semblait percevoir de très lointains effluves du parfum qui lui était si cher. Elle tourna la tête pour s'assurer de la présence d'Alfred. Il était là, à côté d'elle, Georgette tremblant dans les bras. Le voir pleurer bouleversa Susan, peut-être autant que de voir sa mère, pas tout à fait morte, pas vraiment vivante.

— Susan... murmura Emma.

— Ma... man... réussit à ânonner la jeune fille. C'était si difficile à dire. Si étrange.

— Morris va tout faire pour t'amener à Meredith O'More, poursuivit Emma avec précipitation. Ton père est son valet, ainsi que ces femmes...

— Son bras armé, voulez-vous dire ? intervint Alfred d'une voix blanche.

Emma le considéra avec respect.

— Oui, vous avez raison, car il s'agit bel et bien d'une guerre. Ils ne peuvent pas te tuer, Susan, mais ils vont tout mettre en œuvre pour que ce soit toi qui le fasses à leur place.

Susan se raidit.

— C'est ce que j'ai cru comprendre… balbutia-t-elle.

— Il faut que tu saches certaines choses, pour-suivit Emma Prescott. Comme toi, comme moi et comme tous les Rosebury avant nous, mon père est devenu orphelin un 12 décembre. D'une nature portée sur les mystères, il avait découvert la malédiction qui pèse sur les Rosebury depuis trois siècles. Sachant ce qui allait lui arriver, il a pris soin de me transmettre par testament les informations en sa possession. Quand j'ai été en âge d'en prendre connaissance, j'ai cherché à me protéger, mais il était trop tard, pour la simple et bonne raison que j'étais déjà née. Le sort était déjà jeté… Tout ce que je pouvais faire, c'était tenter de le contrer : je me suis juré de ne pas avoir d'enfant. Je pensais ainsi interrompre la malédic-tion et échapper à la mort. Je me suis protégée pour ne pas être enceinte, mais la fatalité en a voulu autrement… Je n'ai pas eu le cœur d'avor-ter, alors, je me suis tournée vers un spirite afin de mettre en place une protection pour notre famille.

Susan sentit une immense tristesse l'envahir en découvrant son histoire.

— Avec son aide, j'ai fabriqué le parfum que tu connais et qui te protège depuis que tu es née, reprit Emma Prescott.

— Le parfum du foulard… souffla Susan.

Emma acquiesça d'un battement de paupières.

— Oui, et grâce à lui, Morris n'a pas pu te tuer cette horrible nuit du 12 décembre. Par la suite, il a essayé à plusieurs reprises de s'en prendre à toi et de t'emporter dans ses ténèbres. Mais le parfum te protégeait, au-delà de mes espérances.

« Les esprits des Rosebury étant en sa possession, Morris a creusé pendant plus de dix ans dans le mien jusqu'à découvrir mon secret. Il a compris que le parfum était à la fois ta force et ta faiblesse. Il l'a recréé pour t'atteindre. Comme il ne peut pas s'en prendre à toi physiquement, il agit directement dans ton cerveau...

— Quand je rêve... précisa Susan.

— Oui, le rêve paradoxal est pour lui le moment idéal. Il nous avait piégés dans la poupée de cuir. En nous en libérant, tu es devenue le réceptacle de nos âmes prisonnières. Il vient de remporter une victoire : nous sommes désormais en toi, Susan, ton cerveau est notre nouvelle prison. La malédiction prévoit que ce soit toi qui livres à lady O'More nos onze âmes, ainsi que la tienne.

Le cri du caveau gonfla à nouveau et souffla un vent mauvais sur tous ceux qui se trouvaient là, morts non morts, vivants non vivants, fantômes, vivants piégés par le rêve. Des volutes ardentes, chargées de poussières incandescentes et dangereuses, tourbillonnèrent autour d'eux.

Emma Prescott jeta un regard inquiet à la tourmente qui se levait et enchaîna avec précipitation :

— Morris et son armée vont s'acharner sur toi jusqu'à ce que tu perdes tout espoir...

— Je sais... fit Susan dans un souffle.

— Jusqu'à ce que la mort te paraisse préférable à la vie ! intervint Daniel Prescott.

— Eliot... gémit Susan.

— Morris t'avait prévenue, Eliot n'est que le commencement... précisa son père d'une voix inhumaine et pourtant lourde de menaces. Tout ce qui compte pour toi, nous le détruirons.

— Il faut que je me réveille, cria Susan, les poings serrés. Il faut que je me réveille maintenant !

— Pas encore, Susan ! fit sa mère. Ton ami est en train de sombrer vers la mort, mais tu peux éviter qu'elle ne l'emporte à tout jamais !

Elle avança la main vers le cou de Susan et dégagea le foulard bleu – qui lui avait appartenu pendant de longues années. Elle tira sans ménagement sur l'étoffe et déchira une fine bande.

— Noue-la autour d'un des poignets d'Eliot, tu l'empêcheras ainsi de devenir comme nous et d'errer entre le monde des vivants et celui des morts...

— Attends !

Un homme s'approcha. Susan le reconnut, c'était lord Rosebury, le père de Morris. Ou plutôt son fantôme... Une terrible blessure ensanglantait sa chemise blanche.

— Tout dépend de toi maintenant, Susan, fit-il. Tu dois tuer lady O'More. Avec ceci.

Il lui montra la dague avec laquelle Susan et ses compagnons l'avaient vu donner le coup de grâce.

— Tu ne pourras pas mener seule cette lutte, poursuivit-il. Morris et O'More sont trop puissants. Mais nous, les Rosebury, nous sommes à tes côtés.

— Nous ne la laisserons jamais faire ! s'opposa Daniel Prescott. Nous protégerons lady O'More !

Susan tourna délibérément le dos à son père et, s'adressant à lord Rosebury, demanda d'une voix sourde :

— Qu'est-ce que je dois faire pour arriver jusqu'à Meredith ?

Lord Rosebury se jeta sur celle qui avait été sa femme. D'un bras, il la saisit par le cou et, de l'autre, il enfonça la dague dans sa tempe. La lame traversa le crâne dans un épouvantable craquement. La femme écarquilla les yeux. Un râle s'échappa de sa bouche grande ouverte et elle tomba à terre.

Lord Rosebury retira la dague.

La femme se releva, comme si rien ne s'était passé.

Susan sentit ses forces l'abandonner.

— Nous ne pouvons pas nous tuer entre nous, fit lord Rosebury, accablé de tristesse. C'est à toi de tuer nos femmes. Le clan de Daniel Prescott doit disparaître…

Un vertige d'effroi ébranla Susan. Elle regarda son père, puis sa mère.

— Comment pouvez-vous demander à une enfant de tuer ses ascendantes et son propre père ? s'insurgea Alfred.

— C'est le prix à payer pour que ma fille reste en vie... répondit Emma Prescott.

Sans quitter Susan des yeux, elle enveloppa la dague du morceau d'étoffe prélevé sur le foulard et la lui tendit.

— Dépêche-toi, Susan. Eliot a besoin de toi.

32.

Susan inspira avec la brutalité d'un noyé revenu à la vie. Assise dans son lit, en sueur, elle laissa le silence de la chambre l'apaiser. Il faisait encore nuit, elle avait mal partout, les yeux lui brûlaient.

Et elle tenait une dague entourée d'une bande de tissu bleu !

Elle se leva d'un bond.

* * *

La porte de la chambre d'Eliot était entrouverte. En équilibre sur ses deux pattes arrière, Georgette tirait sur un des coins de la couette. Elle ne grognait pas, comme à son habitude.

Non.

Elle pleurait. Comme seuls les chiens savent le faire, du chagrin plein la gorge.

— Eliot… murmura Susan, un horrible pressentiment au cœur.

Elle alluma la lampe de chevet et plaqua la main sur sa bouche pour étouffer le cri qui déchirait sa poitrine.

* * *

Eliot était revenu du rêve.

Mais il ne s'était pas réveillé.

De sa combinaison n'émergeait que son visage, atrocement couvert de taches brunes.

Il ne dormait pas.

Il était mort.

Le soleil l'avait tué.

Non.

Daniel Prescott l'avait tué.

* * *

— Eliot... Tu ne peux pas...

Susan s'effondra littéralement au bord du lit. Les larmes se mirent à couler alors qu'une douleur sans limites s'emparait d'elle. Jamais elle n'avait eu aussi mal. Jamais.

Elle approcha son visage de celui du garçon et posa les lèvres sur les siennes.

— Tu ne peux pas... répéta-t-elle. Ce n'est pas possible !

Elle guetta le moindre signe qui aurait pu lui laisser espérer qu'elle se trompait, qu'Eliot était simplement et profondément endormi. L'ébauche d'un souffle, un frémissement de paupières, un battement de cœur...

Un battement de cœur ? Elle colla son oreille sur le torse du garçon et tendit l'oreille. Son propre cœur était si bruyant, si affolé, qu'elle n'entendait que lui. Alors, elle mit sa main à plat sur les côtes et suspendit sa respiration.

Le cœur d'Eliot battait !

— Aaahhh ! s'écria Susan, submergée par une vague de soulagement.

Il n'était pas mort ! Il était peut-être dans le coma, sans doute, mais toujours vivant !

Elle secoua son ami, d'abord avec précaution, puis plus vigoureusement.

— Réveille-toi, Eliot ! Nom de Dieu, réveille-toi !

* * *

Quelques instants plus tôt...

Eliot n'aurait jamais pensé qu'il finirait ainsi. Allongé sur un lit d'hôpital, si, certainement – après tout, il était atteint d'une grave maladie. Mais tué dans un rêve par le père ni mort ni vivant de la fille dont il était fou amoureux, non, c'était une éventualité à laquelle il n'avait jamais songé.

Après que les rayons du soleil eurent mordu son visage, il avait été aspiré dans un tourbillon d'effroi. Aveugle, sourd et muet, il n'avait senti que sa peau qui lui brûlait aussi violemment que sous l'effet de l'acide et son cœur qui s'emballait, gong désordonné à l'intérieur de sa poitrine. Enfin, il avait atterri sur son lit.

Allongé, les bras le long du corps, il se calma.

La perception de ce qui l'entourait s'effaça peu à peu. Les rais de lune brillant à travers l'interstice des volets, le tic-tac de la pendule dans le couloir, le vent dans les arbres… Tout cela n'exista bientôt plus.

Quand la sensation de son propre corps l'abandonna, elle aussi, il comprit qu'il n'était pas simplement en train de s'endormir.

Ses membres ne tremblaient plus.

La douleur sur sa peau l'avait quitté. Mais avait-il encore un visage ? des bras ? des jambes ? Il ne savait plus.

Sa respiration devint un souffle léger, si léger.

Son cœur battit de moins en moins fort.

Puis de moins en moins.

Seul son esprit semblait encore exister. Comme détaché de son corps, il regardait cette enveloppe vêtue d'une combinaison blanche tachée de terre. Une enveloppe qui lui appartenait, mais dans laquelle il n'était plus.

C'était l'impression qu'il avait depuis le plafond où il flottait.

Je ne peux pas être un fantôme puisque je ne suis pas mort.

Je sais que je ne suis pas mort.

Mon cœur bat !

Il se déplaça dans cet état d'apesanteur jusqu'au miroir qui ne renvoya rien, pas le moindre reflet, pas le moindre espoir.

Il hurla.

Mais son cri resta silencieux.

On ne le voyait pas. On ne l'entendait pas.

On va m'enterrer vivant. On va m'enterrer vivant !

Terrifié, il se recroquevilla dans un coin de la pièce et regarda son corps étendu sur le lit, vide.

* * *

Georgette se faufila par la porte entrouverte et se dirigea prestement vers le lit d'Eliot. Elle tira la couette entre ses dents et grogna en secouant sa tête de velours noir. Puis, dressée sur les pattes arrière, elle porta son regard sur le corps inerte de son jeune maître et se mit à pousser des plaintes étouffées.

Dans le même temps, le téléphone portable du jeune homme s'éclaira et vibra sur la table de nuit. Eliot parvint jusqu'à lui. Le portrait d'Alfred s'affichait sur l'écran, son grand-père essayait de le joindre. Il devait être si inquiet… Puis le vibreur cessa, l'écran s'éteignit et la chambre retrouva son silence angoissant.

Depuis son coin de plafond, Eliot tenta alors d'attirer l'attention de la petite chienne en pleurs. Il l'appela, fit des signes, tenta d'attraper une balle pour la lui lancer, s'approcha pour la caresser… Truffe en l'air, yeux exorbités et pleins de larmes, Georgette chercha d'où venait ce qu'elle sentait sans le voir, puis accorda à nouveau toute son attention au corps allongé sur le lit.

* * *

Quand Susan entra, Eliot décupla ses efforts, même si l'affolement commençait à écraser toute forme d'espérance.

Le baiser qu'elle lui fit accéléra sensiblement les battements de son cœur. Son esprit le sentit, sans aucun doute, comme s'il était toujours relié à son corps. Il s'approcha du lit et, de sa main que nul ne voyait, il essaya de soulever une paupière, de déplacer une mèche de cheveux...

De faire quelque chose qui se verrait et qui montrerait qu'il n'était pas mort.

Susan s'approcha de son torse et posa son oreille là où se trouvait son cœur. Alors, il rassembla toutes ses forces, mobilisa les plus beaux souvenirs de sa vie.

Le dernier Noël au manoir quand tous les Hopper étaient réunis, sa grand-mère encore en vie en train de décorer le sapin, son sourire plein de douceur pour lui... Un bain de minuit dans une petite crique normande, le reflet de la lune sur l'eau qui rendait chacun de ses mouvements fluorescent, cette sensation de liberté absolue avec la mer devant lui, à perte de vue... Ses cris de joie quand son père avait ramené Georgette, minuscule boule de poils...

Susan... Susan, Susan, Susan... La première fois où il l'avait vue... Le jour où ils étaient venus la chercher au Home... La leçon de natation... Le premier baiser… Le dernier, quelques secondes plus tôt…

Les images, entrelacées d'émotions, défilaient à toute vitesse, comme dans les films. Est-ce que cela signifiait que la mort était proche ?

Son cœur fit une embardée.

— Aaahhh ! cria Susan.

Elle le secoua si fort qu'il ressentit les vibrations à l'intérieur de ce qu'il était devenu.

— Réveille-toi, Eliot ! Nom de Dieu, réveille-toi !

Elle semblait si malheureuse à la perspective de le perdre. Peut-être comptait-il plus qu'il n'avait osé l'espérer ?

— Tu ne peux pas me laisser… murmura-t-elle à l'oreille de celui qui était étendu.

Quand elle plaqua la paume de sa main sur sa joue, Eliot entrevit une chance inespérée de montrer le lien qui existait encore entre ce corps presque hors service et son état fantomatique, plein de vie. Il n'était pas tout à fait invisible, mais plutôt transparent, comme une bulle de savon. Il parvenait presque à voir ses propres contours, l'ébauche de sa silhouette dans le miroir.

Il se précipita vers Susan et Georgette.

Elles allaient bien finir par le voir. Par comprendre qu'il était là, à côté d'elles !

* * *

Georgette fut la première à percevoir quelque chose. Sa respiration se fit plus sifflante que jamais alors qu'elle humait tout autour d'elle, exactement là où Eliot tendait la main pour la caresser. Soudain, elle aboya. Susan se retourna, surprise et affolée.

— Chut, Georgette ! implora-t-elle. Ce n'est pas le moment de rameuter toute la maison, je t'en supplie !

Eliot se rapprocha aussi près que possible. Il fallait que Susan sente sa présence. C'était maintenant ou jamais !

— Mais qu'est-ce qui te prend ? s'alarma-t-elle en fouillant du regard dans la direction où aboyait Georgette. T'as vu un fantôme ?

Eliot hurla de joie et d'espoir.

Susan s'essuya les yeux et scruta l'espace devant elle.

— Un fantôme ? répéta-t-elle, la voix tremblante. C'est ça ? C'est ce que tu veux me dire ?

Georgette jappa et remua la queue avec fougue, alors qu'Eliot criait en silence : « Non, je ne suis pas un fantôme ! Je ne suis pas mort ! »

— Eliot ? poursuivit Susan, à vif. Eliot ? T'es là ?

Elle tendit la main et tâtonna dans le vide telle une aveugle cherchant à appréhender les obstacles devant elle. Mais le toucher ne lui était d'aucune utilité. Ce fut la vue qui l'aida à déceler la présence de l'infime silhouette d'une transparence bleutée. Elle écarquilla les yeux, oubliant de respirer.

Il l'enlaça.

Elle frémit.

Il était là.

Elle avait compris.

33.

Le regard de Susan alterna entre le corps d'Eliot et la forme à peine perceptible qui s'en était échappée. Fallait-il prévenir Helen et James ? Peut-être qu'en emmenant Eliot à l'hôpital, on arriverait à le réanimer ! Elle se dirigea vers la porte, résignée. Elle signait son arrêt de mort. Tout ce qui arrivait était sa faute, les Hopper la renverraient au Home et elle serait bannie de leur vie à tout jamais. Mais pouvait-elle faire autrement ? Eliot avait au moins une chance d'être sauvé.

* * *

La silhouette bleutée s'agita. Si la vie ne tenait qu'à un fil dans le corps d'Eliot, elle avait gardé toute sa vigueur dans son esprit. En comprenant ce que Susan s'apprêtait à faire, le garçon s'affola. Il était hors de question d'alerter ses parents ! Il se rua sur elle alors qu'elle s'apprêtait à quitter la chambre et se projeta contre la porte entrouverte.

Stupéfaite, Susan regarda la porte qui venait de se refermer en claquant.

— Il faut que je prévienne tes parents, Eliot ! s'écria-t-elle. Il faut qu'on te sauve !

Aussitôt, un vrai vent de furie parcourut la pièce, renversant les livres sur l'étagère, ouvrant les tiroirs de la commode et jetant en l'air leur contenu, emportant Susan et Georgette dans une tourmente contre laquelle elles avaient du mal à résister. Le petit chien fila sous le lit pour se protéger, pendant que Susan s'accrochait au rebord de la fenêtre.

— D'accord, Eliot... fit-elle à l'adresse de l'esprit flottant. Je reste là.

Le calme revint aussitôt. La silhouette bleutée s'approcha et se colla contre elle. En proie à un stress innommable, la jeune fille attendit.

— Qu'est-ce que tu veux que je fasse, Eliot ? murmura-t-elle après quelques instants.

Dans le silence de plomb qui régnait, elle essaya de mettre de l'ordre dans ses pensées. Il y avait forcément une solution. Jusqu'à maintenant, rien n'était arrivé... pour rien... Tout était lié, tout avait un sens.

Elle reprit le cours des choses telles qu'elles venaient de se passer, jusqu'aux paroles de sa mère avant qu'elle ne quittât le rêve.

Noue-la autour d'un des poignets d'Eliot, tu l'empêcheras ainsi de devenir comme nous et d'errer entre le monde des vivants et celui des morts...

Susan sursauta. Évidemment ! Elle fouilla dans sa poche et en sortit la bande provenant du foulard bleu qu'Emma Prescott avait déchiré.

— Donne-moi tes poignets, Eliot ! ordonna-t-elle au fantôme.

Elle tendit la bande. Très vite, une inclinaison se dessina vers le bas, comme si quelque chose pesait, faisait pression.

— Parfait... balbutia Susan, à court d'air. Maintenant, laisse-toi faire...

Elle releva les extrémités du tissu et les noua autour de ce qu'elle distinguait à peine.

La silhouette d'Eliot s'esquissa sensiblement et son intégrité apparut peu à peu, jusqu'à ce que le garçon ne ressemblât à rien d'autre qu'à... un vrai être humain.

Sur le point de hurler de joie, Susan mit la main devant sa bouche pour s'en empêcher. Eliot s'inspecta en se tâtant du bout des doigts, effleura le tissu sur son poignet, regarda Susan d'un air interdit et finit par se jeter dans ses bras.

— Eliot... C'est pas croyable, t'es là ! fit la jeune fille en hésitant à le serrer contre elle.

Elle s'y risqua néanmoins, avec précaution et maladresse, de crainte qu'il ne fonde ou ne disparaisse. Mais il s'avérait aussi tangible et réel qu'elle l'était.

— J'ai eu si peur... murmura-t-il en tremblant. J'ai pensé qu'on allait me croire mort...

Il pinça les lèvres, les larmes n'étaient pas loin. Puis il vit son propre corps étendu, inerte, son visage taché, et il éclata en sanglots.

— Tout va bien, Eliot... chuchota Susan.

On disait souvent cela chez les Pearce – quinzième famille d'accueil – et ces quelques mots, doucement énoncés, avaient plusieurs fois démontré de réelles vertus consolatrices. Mais là, la situation n'avait rien à voir avec le gros chagrin causé par un genou écorché ou une dispute à l'école.

Tout n'allait pas bien. Rien n'avait jamais été pire.

Les larmes avaient fini par déborder. L'esprit d'Eliot pleurait. Étrangement, son corps physique aussi, en silence et dans une immobilité parfaite.

— Susan, jure-moi que tu ne laisseras personne m'enterrer !

Quelle terrible supplique... Susan se sentait glacée de la tête aux pieds, comme cernée par la mort la menaçant de représailles après l'avoir privée du jeune homme.

— Oui, Eliot ! fit-elle dans un souffle. Je te le jure...

* * *

Georgette suivait Eliot aussi près que possible, collante et trop heureuse de retrouver son maître. Elle virevoltait autour de lui, les griffes de ses pattes courtaudes produisant comme de petits crépitements sur le parquet.

Qu'Eliot soit là, même sous cette forme, tenait du miracle. Tous les deux regardèrent le poignet du garçon, ceint du lambeau de foulard maternel. Eliot le dénoua, pour s'assurer que la magie – le miracle, le prodige ou quoi que ce fût – provenait bien de là.

Quand son corps fantomatique s'effaça, ni lui ni Susan n'eurent plus aucun doute.

— Tu ne dois le défaire sous aucun prétexte, décréta Susan en reformant un nœud.

Eliot acquiesça gravement.

— Attends, il manque quelque chose... fit la jeune fille.

Elle se précipita vers le bureau d'Eliot, fouilla dans sa trousse et en sortit un compas. De la pointe de l'outil, elle se piqua le bout du doigt. Une goutte de sang apparut. Susan saisit alors le poignet d'Eliot et, de son sang, inscrivit une croix sur le bracelet de tissu.

— Comme ça, on a chacun nos croix rouges... dit-elle.

Depuis qu'elle était toute petite, elle s'était évertuée à tracer ces croix sur le modèle de sa marinière d'enfant. Sans en connaître l'origine ni le sens, elle savait qu'elles étaient importantes et, intuitivement, il lui tenait à cœur qu'Eliot ait les siennes, lui aussi.

— Qu'est-ce qu'on va faire de moi ? enchaîna Eliot. Je veux dire... de mon corps...

— On ne peut pas te laisser là, fit Susan en se mordant la lèvre.

— Mes parents en mourraient s'ils me découvraient comme ça.

La sombre ironie de ces propos le fit grimacer.

— Mais peut-être qu'à l'hôpital, on pourrait te mettre sous respiration artificielle et te faire sortir du coma ! protesta Susan dans un filet de voix.

La perspective de voir Helen, James et Alfred effondrés la terrifiait, et pourtant l'« option hôpital » était la plus raisonnable.

— Non, Susan. Je n'ai pas besoin qu'on m'aide à respirer. Regarde, je suis vivant ! Je peux faire illusion, j'en suis sûr. Mais pour le moment, il faut qu'on mette… mon corps… quelque part où personne ne peut le voir.

Il posa la main sur le bras de la jeune fille. Elle frissonna, le contact s'avérait si normal, alors que la situation l'était si peu. À quoi s'attendait-elle ? À ce que sa peau soit froide comme celle d'un cadavre ? Mais il n'était pas mort… Pourtant, lorsqu'il voulut glisser les doigts entre les siens, il n'y parvint pas. Inquiet, il tenta de se passer la main dans les cheveux, ainsi qu'il le faisait une bonne cinquantaine de fois par jour. Mais il échoua également. Rien n'avait prise.

Susan s'aperçut du problème. Certes, il n'était pas mort. Mais ce qu'il était devenu allait demander une certaine adaptation.

Pas de panique ! Ce n'est vraiment pas le moment.

— Je t'aiderai… souffla-t-elle. Comment dit Alfred, déjà ? À chaque problème, une solution *ad hoc*, c'est ça ? ajouta-t-elle avec un optimisme qui ne la convainquait pas.

— Appelle-le, Susan.

— Quoi ?

— Je sais que tu es costaud, mais tu ne peux pas planquer mon corps toute seule. Appelle mon grand-père.

Susan détourna la tête, désemparée.

— Il n'y a que lui qui peut t'aider... qui peut *nous* aider.

Il prit son portable sur sa table de nuit. Il réussit à le tenir pendant deux ou trois secondes, avant qu'il ne tombât sur le sol. Susan ne lui laissa pas le temps de réagir et ramassa l'appareil.

— Comment on fait ?

— Tu vas dans Répertoire et tu choisis GP.

Susan obtempéra. Dès qu'Alfred décrocha, elle posa le téléphone près de l'oreille d'Eliot.

— Grand-père ? fit ce dernier. Il faut que tu viennes, s'il te plaît.

S'ensuivit l'éclat diffus des exclamations d'Alfred.

Pourvu qu'il accepte ! implora intérieurement Susan.

— Grand-père, c'est *vraiment* très important, je t'assure, insista Eliot. Oui, Susan va venir t'ouvrir, à tout de suite.

* * *

Susan crut que le cœur d'Alfred allait lâcher quand Eliot lui expliqua ce qui se passait.

Impuissante à le consoler ou à le rassurer, elle n'en menait pas large. Si on excluait Georgette, prête à soutenir tout le monde, Eliot s'avérait le plus solide et la jeune fille en éprouvait une terrible frustration. Tout ce qui arrivait était sa faute et elle n'était même pas capable d'assurer...

— On n'a qu'à me mettre chez toi, grand-père, suggéra Eliot. Tu seras capable de veiller sur moi, et ma mère ne pourra jamais tomber sur moi si je suis là-bas...

Alfred s'essuya les yeux et se redressa tant bien que mal.

— Tu as raison, mon garçon, fit-il d'un air ravagé de tristesse. Miss Susan, ouvre-moi la voie, veux-tu ?

Il prit le corps d'Eliot dans ses bras et ne put s'empêcher de déposer un baiser sur le visage taché et profondément endormi.

— Allons-y, dit-il.

D'un pas pesant, il suivit Susan et l'esprit matérialisé de son petit-fils dans les escaliers et les couloirs du manoir où il n'avait plus mis les pieds depuis si longtemps.

Même en faisant preuve d'une imagination débridée, aurait-il pensé y revenir dans de pareilles circonstances ?

Impossible.

* * *

— Je serai bien ici, grand-père, je t'assure !

Debout devant son corps étendu sur le lit de la minuscule chambre d'ami, Eliot observait Alfred fermer les volets et tirer les rideaux.

— Le jour se lève, déclara Susan.

Alfred et Eliot voyaient-ils combien elle se forçait à paraître utile ? Daniel Prescott – elle se refusait à le considérer comme son père – avait raison : à ce moment précis, elle avait davantage envie de mourir que de vivre.

— C'est vrai, miss Susan, confirma Alfred d'une voix mécanique. Il faut vous dépêcher de rentrer au manoir avant que Mme Parfaite se lève.

— Mais si quelqu'un te voit comme ça, ça va être chaud… ne put s'empêcher de signaler Susan en dévisageant Eliot.

— Pourquoi ? balbutia le garçon.

Elle hésita et finit par lâcher, tout en ayant pleinement conscience de l'énormité de sa remarque :

— Tu n'as vraiment pas l'air en forme.

Alfred parut réfléchir.

— Je crois que j'ai ce qu'il te faut ! s'exclama-t-il soudain.

Il partit fouiller au fin fond d'une armoire d'où il exhuma un nécessaire à maquillage.

— Ça appartenait à ta grand-mère, mon garçon, expliqua-t-il. Miss Susan, à toi de jouer !

Susan brûlait d'envie de lui dire qu'être une fille ne supposait pas qu'elle sache comment on utilisait ces crèmes, fards et autres fonds de teint. Mais elle ne se sentait pas la force de s'opposer à quoi que ce fût. Et puis, elle avait tellement vu les filles du Home se maquiller qu'elle n'avait qu'à faire pareil, c'était tout.

Eliot la dévisageait avec une intensité qui n'avait pas changé malgré cette horrible nuit. Seule une immense désolation était ancrée au fond de son regard. Quand, du bout des doigts, Susan appliqua une légère couche de crème teintée sur son visage, il ferma les yeux alors qu'elle tremblait, craintive. La peau d'Eliot était si singulière, fine comme la membrane qui apparaît parfois sous la coquille des œufs durs.

— Tu te débrouilles très bien, miss Susan, commenta Alfred avec gravité. L'illusion est parfaite, du moins je l'espère...

Sa voix se brisa dans un chevrotement éploré.

— Ne t'inquiète pas, grand-père, fit Eliot. Susan est là, on va y arriver.

— Dieu t'entende, mon garçon.

Ils se dirigèrent vers la porte. Effectivement, l'aube naissait derrière la forêt, elle rosissait déjà au-dessus du loch.

— Ta combinaison, Eliot ! s'exclama Susan.

Les deux ados – la jeune fille et l'esprit tangible du garçon – s'entreregardèrent. En avait-il encore besoin ?

— Pour tes parents... balbutia Susan en faisant demi-tour.

Profondément troublée, elle fonça dans la chambre d'ami.

— Non, laissez-moi faire ! cria-t-elle quand Alfred voulut entrer.

Déshabiller ce corps inerte alors qu'elle venait de quitter son double, si étrangement vivant, était épouvantable. La tête lui tournait, les sanglots l'étouffaient. Mais elle devait y arriver, coûte que coûte.

Servir à quelque chose.

Avant de sortir de la pièce, elle s'essuya le visage du revers de la manche. Une croix rouge, brodée par Helen, apparut dans son champ de vision alors qu'elle levait le coude. Elle renifla bruyamment, inspira à fond et sortit enfin.

— Tiens ! fit-elle en tendant la combinaison à Eliot. Rentrons maintenant...

34.

Eliot et Susan ne pensaient pas devoir être si vite confrontés à la présence d'autrui, la difficulté étant amplifiée par le fait que cet « autrui » n'était autre qu'Helen. À peine eurent-ils poussé la porte d'entrée qu'elle sortit de la cuisine pour venir à leur rencontre.

— Je ne suis pas prêt... murmura Eliot, paniqué.

— Tu vas y arriver... lui souffla Susan en tentant de ne pas lui communiquer l'intense angoisse qui l'étreignait.

— Vous êtes déjà levés ? s'étonna Helen en venant à leur rencontre.

Suspicieuse, elle les observait déjà de la tête aux pieds, ce qui fut loin de mettre les deux ados à l'aise. Au-delà de leurs vêtements qui exhibaient les traces de cette épouvantable nuit, ils craignaient par-dessus tout qu'Helen ne constatât qu'Eliot n'était *plus tout à fait* le même.

— Tu n'as pas mis tes lunettes, Eliot ?

Aïe... s'alarma Susan. *Le détail qui tue !*

— Il faisait nuit quand on est sortis, précisa Eliot. On voulait juste voir le jour se lever sur le loch.

Sa voix n'avait pas changé, si ce n'était le léger voile rauque qui la rendait plus grave.

Il est incroyable... se dit Susan. *Comment fait-il pour rester aussi calme ?*

— Oh... fit Helen. Comme je vous comprends ! C'est magnifique en cette saison. Tu as aimé, Susan ?

La jeune fille enfonça les mains dans les poches de son jean pour s'empêcher de trembler.

— C'était vraiment très beau, répondit-elle.

Elle s'efforçait d'éviter son regard inquisiteur, mais craignait de paraître impolie. Alors elle se risqua à esquisser un sourire qui dévierait – elle l'espérait – l'attention d'Helen de ses yeux rougis et de sa mine ravagée.

—Vous devez avoir un peu faim après cette petite escapade matinale, non ? s'exclama la maîtresse de maison. Montez vous changer, on dirait que vous vous êtes roulés dans la boue... Et rejoignez-moi à la cuisine, d'accord ?

— D'accord, m'man ! répondit Eliot.

— D'accord, Helen ! lui fit écho Susan.

Ils échangèrent un regard complice. On aurait presque pu croire que rien n'avait changé...

Pourtant, la réalité les rattrapa rapidement quand Helen retint Eliot par le bras. Instant de vérité où tout pouvait basculer. Allait-elle se rendre compte de quelque chose ? Pouvait-elle ne pas voir, ne pas sentir qu'Eliot était différent ? Susan continua de gravir l'escalier en ralentissant le rythme, inquiète de devoir laisser son ami seul avec sa mère.

Mais l'objet du tracas d'Helen n'était pas Eliot.

— Susan a pleuré ? chuchota-t-elle à l'oreille de son fils.

Malgré la gravité des circonstances, Eliot était presque heureux de cette diversion.

— Ne t'inquiète pas, m'man, dit-il à mi-voix. Susan n'est peut-être pas très expressive, mais je peux te dire qu'elle adore vivre avec nous.

— Je l'espère, fit Helen avec un soupir légèrement préoccupé. Je l'espère vraiment.

* * *

Assise sur son arrière-train, Georgette gardait ses gros yeux bruns fixés sur Eliot, assis à la table du petit déjeuner. De temps à autre, elle lâchait un « wouaf » qui résonnait de façon étrange aux oreilles des deux ados. Là où Helen comprenait que la petite chienne quémandait un morceau de brioche, eux savaient qu'elle ne faisait que manifester sa solidarité et son anxiété.

— Tu n'es qu'une grosse goulue, ma saucisse ! s'exclama Susan en lui donnant du pain grillé.

Diversion. Pense diversion maximum, se disait-elle intérieurement.

C'était ce dont ils étaient convenus, Eliot et elle, avant de descendre et d'affronter l'épreuve du petit déjeuner.

— Je ne contrôle pas bien, lui avait soufflé Eliot, paniqué. Regarde, les objets m'échappent, je n'arrive pas à les garder en main très longtemps. Et… je ne suis pas sûr d'arriver à avaler quoi que ce soit. En apparence, j'ai tout d'un humain, mais je ne le suis plus, Susan…

Il lui avait jeté un coup d'œil comme on jette un appel au secours.

— Je crois que je ne suis plus capable de manger.

— Tu veux que je dise à ta mère que tu n'as pas faim ?

— Non, elle serait capable d'appeler le médecin, ce serait la cata ! On va faire comme on peut…

— Je vais t'aider.

Ils s'étaient dévisagés avec beaucoup de douceur et de chagrin, et avaient rejoint Helen en prenant soin d'appliquer leur plan.

— Cette chienne mangerait n'importe quoi ! fit remarquer Helen, amusée de voir le petit carlin se goinfrer.

Son attention sembla soudain captée par autre chose. Elle augmenta le volume de la radio dont on n'entendait jusqu'alors que le vague grésillement sur la table. Ses sourcils prirent la forme d'un accent circonflexe quand les infos annoncèrent qu'un accident était survenu au petit matin dans la région de Thornshill : onze personnes avaient perdu la vie, carbonisées dans le bus qui les transportait. Sitôt le flash terminé, elle coupa le son et soupira.

— Quelle horreur... Pauvres gens...

Eliot et Susan ne relevèrent pas. Ils avaient tant de tourments en tête... À commencer par la tasse de thé qu'Eliot essayait tant bien que mal de saisir. Il la porta à ses lèvres sous le regard soucieux de Susan, prête à intervenir au moindre signe de faiblesse. Les doigts serrés sur l'anse, la paume de l'autre main soutenant le récipient, il trempa les lèvres et fit semblant de boire.

— Eliot ! s'écria Helen. Tu ne vois pas que c'est bouillant ! Tu vas te brûler !

Eliot écarquilla les yeux et reposa la tasse avec une gaucherie inhabituelle. Non, il n'avait pas vu que c'était bouillant, pas plus qu'il ne l'avait senti. Et pourtant, le liquide fumait encore...

— Mmhh, c'est vrai que c'est chaud, mais ça fait trop du bien ! intervint Susan.

Seul Eliot savait combien l'enthousiasme de son amie était exagéré. Helen, elle, n'y vit que du feu.

— Le thé est effectivement meilleur quand il est bien chaud, concéda-t-elle. Il faut néanmoins faire attention !

Ouf... Sur ce coup-là, on a assuré...

Tout en se félicitant, Susan présenta à Eliot une assiette sur laquelle elle avait coupé en petits morceaux une tartine beurrée surmontée d'une bonne couche de confiture de groseilles. Les sourcils en arc de cercle, Helen les considéra tous les deux avec surprise. Elle semblait plus attendrie que suspicieuse, alors que chaque geste représentait une épreuve de force pour Eliot. Quand Helen se leva pour laver un fruit, Susan s'empressa de boire la tasse de thé de son ami.

— Merci... souffla-t-il.

Il respirait fortement, ses mains tremblaient.

— Panique pas, tu t'en sors très bien ! le rassura la jeune fille.

— Je ne sens plus rien... ajouta-t-il. Ni chaleur ni odeur...

Susan tourna précipitamment la tête et plongea ses yeux dans ceux du garçon.

Ça va aller, tenta-t-elle de lui communiquer mentalement. *Ne t'affole pas.*

Sans qu'aucun d'eux s'y attende, Eliot s'éleva soudain de sa chaise, comme si la gravité n'avait plus de prise sur lui. Georgette se mit à aboyer telle une petite vigie veillant à ce que tout se passât sans encombre. Paniquée, Susan saisit le sweat-shirt d'Eliot et le tira brusquement vers le bas pour ramener le garçon sur sa chaise. Il la regarda d'un air éberlué, stupéfait par ce qui lui arrivait.

— Vous voulez encore un toast ? demanda Helen, de retour à table.

— Non, merci ! répondirent-ils en chœur, droits sur leurs chaises.

Si cette osmose fit sourire Helen, aucun des deux ados ne s'en rendit compte. D'un geste du menton, Eliot montra à Susan le reste de la tartine qu'elle lui avait préparée et qu'il était incapable de manger. Il fallait s'en débarrasser avant qu'Helen ne revienne à la charge. L'air de rien, Susan fit glisser un à un les morceaux vers le bord de la table et les jeta sur le sol où Georgette n'en fit qu'une bouchée.

La sonnette de la porte d'entrée retentit alors que Susan aidait Helen à ranger – officiellement, Eliot terminait son thé. Helen jeta un coup d'œil à la pendule, intriguée ; il était encore tôt.

— Viens, on va dans ma chambre, j'en peux plus... avoua Eliot, pâle et tendu.

Susan le suivit. Elle aussi avait hâte de relâcher la pression et de réfléchir dans le calme.

À l'approche du grand hall, elle s'arrêta pourtant et incita Eliot à faire comme elle.

— Quoi ? s'étonna-t-il.

— Tu n'entends pas ?

Il prêta attention aux voix parvenant jusqu'à eux et se raidit soudain.

— Eliot, dis-moi que j'hallucine... balbutia Susan, décomposée.

Ils s'approchèrent, à la faveur de la pénombre du hall. Helen leur apparut de dos, appuyée au chambranle de la porte, en pleine discussion avec deux hommes face à elle.

— C'est très aimable à vous de venir vous présenter, dit-elle. Ainsi, vous venez d'emménager dans la petite maison à l'entrée de Thornshill ? Elle est charmante !

— Oui, j'ai l'intention d'ouvrir un atelier, je suis souffleur de verre... fit l'homme.

Eliot et Susan n'arrivaient pas à distinguer les traits des deux visiteurs dans le contre-jour. Mais la voix et les propos de celui qui parlait ne laissaient aucune place au doute. Susan s'accrocha au bras d'Eliot, prise d'un vertige d'horreur.

— Votre jeune frère est encore en âge d'aller au collège, n'est-ce pas ? poursuivit Helen.

— Tout à fait ! Ce sera sa dernière année avant l'université.

Susan faillit hurler. La flamme ardente s'alluma au fond de son œil droit.

— Oh, vous serez donc avec... mes enfants ! s'enthousiasma Helen.

Sentant la présence des deux ados, elle se retourna.

— Venez, j'aimerais vous présenter ! les interpella-t-elle.

Piégés, ils ne purent faire autrement que d'obéir. À chaque pas, les visiteurs leur apparaissaient de plus en plus nettement.

Leurs vêtements n'étaient plus ceux d'un autre temps.

Ils n'étaient plus tachés de sang.

Leur visage et leur corps ne portaient plus aucune trace de blessures, brûlures et autres supplices.

Et ils se connaissaient déjà.

— Eliot, Susan… fit Helen avec entrain. Voici nos nouveaux voisins : Daniel Hamilton et son frère, Morris…

FIN DU PREMIER TOME

Des mêmes auteurs

La série *Oksa Pollock*

* *L'Inespérée*
** *La Forêt des égarés*
*** *Le Cœur des deux mondes*
**** *Les Liens maudits*
***** *Le Règne des félons*
****** À paraître

Composé par Nord Compo Multimédia
7, rue de Fives, 59650 Villeneuve-d'Ascq

Cet ouvrage a été imprimé en France par

BUSSIÈRE

à Saint-Amand-Montrond (Cher)
en mars 2013

N° d'édition : 2356/01. – N° d'impression : 2001621.
Dépôt légal : mars 2013.